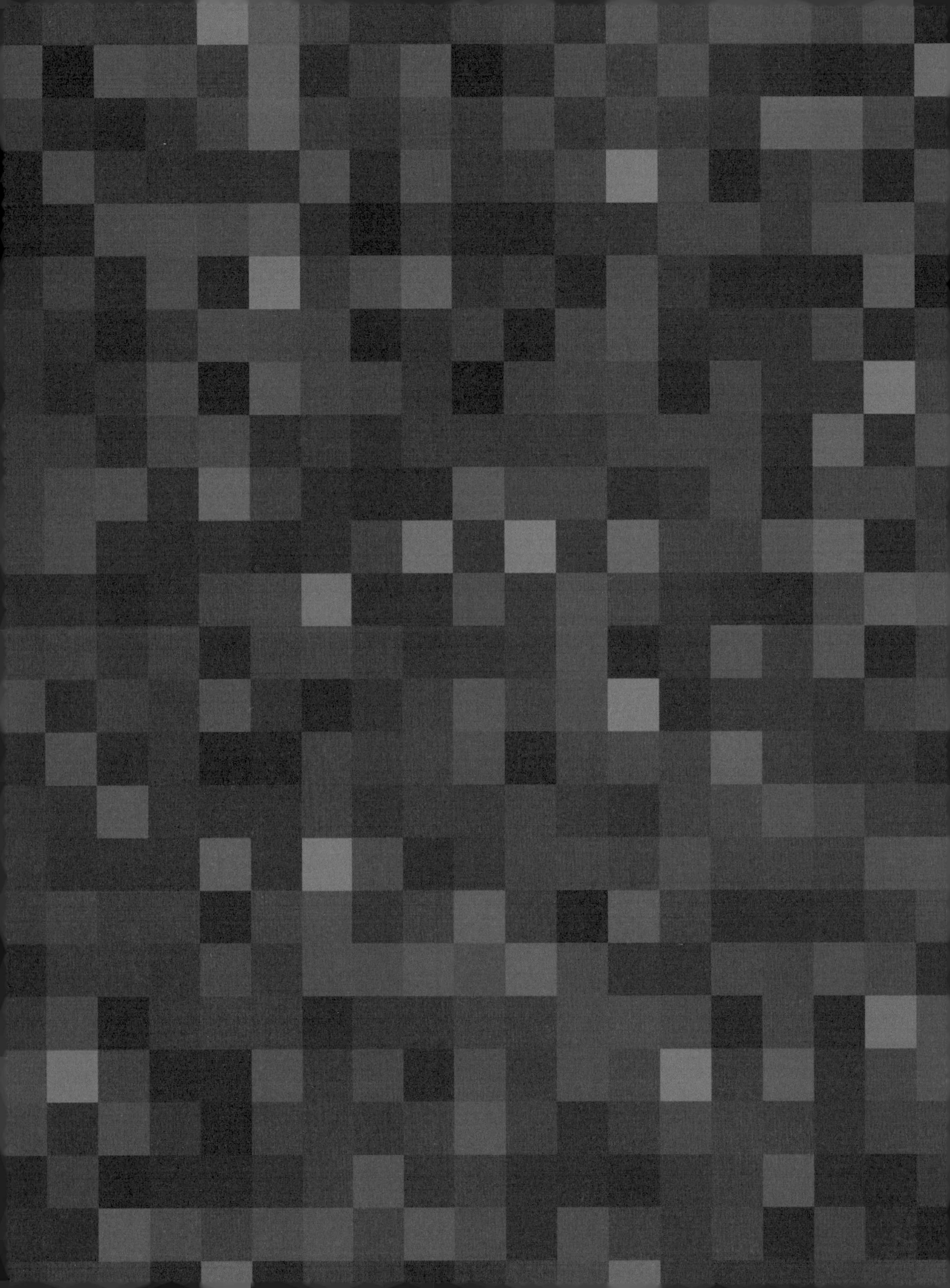

UNOFFICIAL BOOK

마인크래프트 최강 전략 백과

멀티플레이어 모드

서울문화사

저자 | **카라 J. 스티븐스**

카라 J. 스티븐스는 비디오 게임, SF, 글쓰기를 사랑하는 작가로, 글을 쓰지 않을 때는 해변을 거닐거나 핀볼 게임을 즐깁니다. 대표작으로 비공식 마인크래프트 그래픽 노블 시리즈, 소설『Dragon School』가 있으며 다수의 어린이책을 집필하였습니다.

이 책은 Microsoft Corp., Mojang AB, Notch Development AB or Scholastic Inc., 그 밖에 마인크래프트 이름, 상표, 저작권을 소유하거나 관리하는 그 어떤 개인이나 법인의 승인 또는 후원도 받지 않았습니다.

The Ultimate Unofficial Encyclopedia for Minecrafters: Multiplayer Mode: Exploring Hidden Games and Secret Worlds
by Cara J. Stevens

This Korean edition is published by arrangement with Skyhorse Publishing, Inc. through Shinwon Agency Co., Seoul.

이 책에 도움을 준 분들에게 감사 인사를 전합니다.

애터노스 서버(https://aternos.org)의 메티아스 네이드 Mattias Neid
이볼브HQ 온라인 게임(www.evolvehq.com)의 애덤 셀케 Adam Selke
커먼 센스 미디어의 미셸 에르난데스 Michelle Hernandez와
캐럴라인 노어 Caroline Knorr
나의 젊은 마인크래프트 팀:
Charmander MC, Jack P, TennisBrandon, Nate33339, mrcool9
브라이트핍스의 맷 도일 Matt Doyle
마인크래프트 가운데땅의 니키(q220) 버미어시 Nicky(q220) Vermeersch
옴니크래프트의 지미(Kryptix_) Jimmy(Kryptix_)
맥매직 파크의 데이빗 워스맨 David Wasman
프레드 보처트 Fred Borcherdt
벤 피노 Ben Pineau

일러두기

이 책에서 제공되는 화면 정보는 마인크래프트 PC 버전 1.10.2를 기준으로 합니다. 마인크래프트 포켓 에디션과 엑스박스 버전에 가까운 서버도 꽤 있지만, 대부분의 서버는 PC 컴퓨터나 Mac 컴퓨터 버전에서 작동합니다. 다른 버전을 사용하는 경우 게임에 차이가 있거나 아예 들어가지 못할 수도 있습니다. 게임을 임의로 조작하거나, 불법 복제 파일을 다운로드해서 설치할 경우 멀티플레이어를 실행시킬 수 없습니다. 서버에 가입할 때는 특별한 **모드**나 **플러그인**을 다운로드할 필요가 없습니다. 서버에는 이미 플러그인이 설치되어 있으므로 가입하고 로그인한 뒤 플레이하면 됩니다. 이미 모드가 설치되어 있는 경우는 주의하십시오. 대부분 서버는 임의로 모드를 조작하는 것을 금지합니다. 일반적으로 게임을 보다 원활하게 실행하는 데 도움이 되는 모드는 허용됩니다.

소개글

마인크래프트 멀티플레이 세계에 온 여러분 환영합니다!

여러분은 마인크래프트 세계에서 건축, 전투, 농사, 발명, 생활을 통해 자신만의 세상을 만들고 다른 사람들과 온라인 게임을 할 준비가 되어 있을 것입니다. 이제부터 이 백과사전의 책장을 넘기면 온라인에 접속해 마인크래프트 세계를 확장하고 더 다양한 게임플레이 방법을 배울 수 있습니다.

이 책에는 개인 네트워크를 생성하거나 이미 진행 중인 네트워크에 참여하는 방법을 보여 줍니다. 우선 온라인에 접속했다면 다른 플레이어와 협력해서 건축할 장소를 찾고, 온라인 마을이나 커뮤니티에 가입하세요. 누군가 만들어 놓은 미니 게임을 플레이하고, 독특하고 창의적인 게임 경험을 만들어 내고, 함께 도와 마인크래프트 서바이벌 모드의 장애물을 극복할 수도 있습니다. 게임 파티를 벌이고, 열려 있는 플랫폼에서 모든 가능성을 탐색해 보세요.

이 책의 항목을 살펴보면서 이미 플레이하고 있는 세계에 안전하게 참여하는 방법, 새 서버를 찾는 방법, 다양한 유형의 게임 및 온라인 경험에 대해 배우면 게임을 더욱 흥미진진한 모험으로 만드는 지혜를 얻을 수 있습니다.

어떤 멀티플레이어 모드가 여러분과 잘 맞을까요? 아래 세 가지 멀티플레이어 모드는 각각의 재미를 경험할 수 있습니다. 홈 네트워크에서 간단하게 할 수 있고 공개 커뮤니티로 모험을 떠나 전 세계의 플레이어와 함께 플레이할 수도 있습니다.

다음 중에서 선택해 보세요.

1. 자신의 홈 네트워크에서 친구들과 플레이한다.
2. 사설 렐름이나 서버에서 플레이한다.
3. 온라인 멀티플레이 커뮤니티에 가입해 플레이한다.

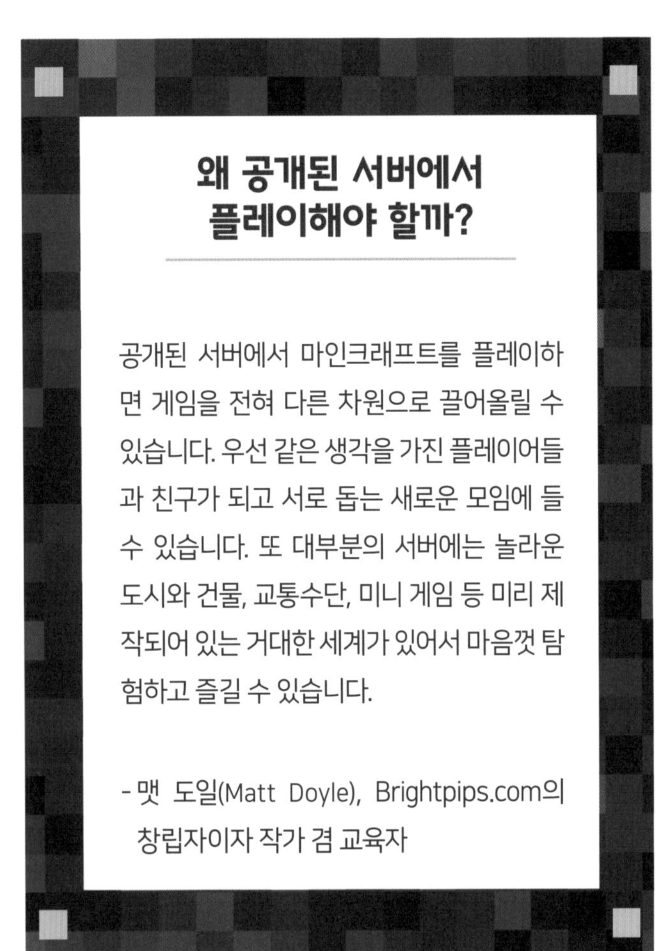

왜 공개된 서버에서 플레이해야 할까?

공개된 서버에서 마인크래프트를 플레이하면 게임을 전혀 다른 차원으로 끌어올릴 수 있습니다. 우선 같은 생각을 가진 플레이어들과 친구가 되고 서로 돕는 새로운 모임에 들 수 있습니다. 또 대부분의 서버에는 놀라운 도시와 건물, 교통수단, 미니 게임 등 미리 제작되어 있는 거대한 세계가 있어서 마음껏 탐험하고 즐길 수 있습니다.

- 맷 도일(Matt Doyle), Brightpips.com의 창립자이자 작가 겸 교육자

주의 사항

멀티플레이어로 접속하면 현실 세계와 전혀 상관없는 새로운 세계에 들어온 느낌이 듭니다. 온라인에서 다른 플레이어를 만나고, 팀을 만들고, 채팅할 때 항상 생각해 두어야 하는 것이 있습니다. 함께 플레이하는 사람이 여러분과 똑같은 사람이라는 점입니다. 멀티플레이어 게임플레이 즉, MMO(대규모 멀티플레이어형 게임)는 팀워크를 기르고 함께 문제를 해결하며 우정을 쌓는 멋진 기회입니다. 하지만 다른 모든 온라인 활동과 마찬가지로 자신의 행동에 위험이 따른다는 것을 기억하고 신중하게 행동해야 합니다. 낯선 사람과 만나는 것은 매우 재미있지만 위험할 수도 있습니다. 다음은 온라인 게임을 할 때 명심해야 할 주의 사항입니다.

낯선 사람과의 교류

마인크래프트, 레고, 헝거 게임 같은 온라인 커뮤니티에 가입되어 있다 보면 다른 회원의 실제 정보를 알기 어렵습니다. 그러니 자신을 안전하게 보호하려면 다음 규칙을 따라야 합니다.

- '현실 세계' 친구들을 온라인에서 만나는 것은 괜찮습니다. 만약 새로 사귄 친구와 여러분이 둘 다 포켓몬스터 팬이라면 서로의 게임 아이디를 물어보고 시간을 정해 온라인 서버에서 만날 계획을 세워 보세요.

- 여러분의 부모님은 사용자의 능력, 나이, 가족 규칙 등에 맞게 사용자 정의 기능을 사용할 수 있는지 게임(웹사이트 또는 앱)을 확인할 의무가 있습니다. 대부분 게임에는 여러분이 안전하게 플레이할 수 있는 다양한 옵션이 있습니다. 여러분이 만 19세 미만이라면 부모님이 설정을 확인해야 합니다.

- 온라인에서 사람들과 만날 때마다 부모님께 말씀 드리세요. 특히 낯선 사람이 연락하거나 온라

인에서 만난 친구, 지인 또는 게임을 함께한 플레이어를 삭제하거나 차단해야 하는 경우 가족에게 바로 알려야 합니다.

- 낯선 사람이 오프라인 또는 게임플레이가 아닌 다른 방법(전화, 이메일, 메신저 등)으로 만나자고 해도 절대 응하지 마세요. 여러분이 먼저 그런 제안을 해서도 안 됩니다.

- 실제 이름, 주소, 전화번호, 그 밖의 모든 개인 정보를 온라인에서 만난 사람과 절대 공유하지 마세요.

- 절대 비밀번호를 알려 주면 안 됩니다. 실제 친구라도 말이에요. 온라인을 안전하게 이용하려면 비밀번호는 반드시 비밀로 해야 합니다. 비밀번호를 넘겨주면 그 사람이 온라인에서 여러분인 척 행동하며 활동을 방해할 수 있습니다.

다른 플레이어의 괴롭힘

마인크래프트와 같은 온라인 커뮤니티는 같은 목적으로 공감대를 형성하고 있으며 서버는 이러한 활동을 방해하는 불량한 행동을 관리하고 있습니다. 이렇게 가상 세계에는 여러 규칙이 있지만 일부 플레이어들은 교묘하게 규칙을 빠져나가기도 합니다. 플레이하기 전에 부모님과 함께 사이트 규칙을 읽으며 어떤 것이 우호적인 PvP(플레이어 대 플레이어) 플레이인지 아니면 괴롭힘이나 그리핑(온라인 게임에서 다른 게임 플레이어를 의도적으로 방해하는 행위), 혹은 다른 유형의 사이버불링(온라인 상에서 이루어지는 괴롭힘과 따돌림)인지 알 수 있습니다.

- 부모님께 개인 정보 설정을 부탁해서 여러분 나이에 맞게 안전성 설정이 되었는지 확인하세요. 어린이가 하는 게임의 개인 정보 설정은 사람을 차단하고, 잘못된 행위를 신고하며, 어린이가 할 수 있는 소통 유형을 제한하는 기능을 제공해야 합니다(어떤 게임에서는 자유로운 채팅을 허용하고 어떤 게임에서는 채팅 문구를 목록에서 선택하게 함.). 이 책에 나오는 서버에는 엄격한 규칙이 있으며 여러 가지 설정 권한이 있고 모든 것을 감시하는 중재자가 있습니다. 하지만 검색 사이트나 온라인에서 접속하는 모든 서버가 같은 수준으로 보호해 주는 것은 아닙니다.

- 항상 올바르게 행동하세요. 경험에 의하면, 얼굴을 직접 보면서 할 수 없는 말은 온라인에서도 하면 안 됩니다.

- 욕설, 위협 또는 게임 속 캐릭터에 대한 과도한 공격과 같은 원치 않는 대우를 받았다면 어른에게 알리세요. 여러분에게 못되게 구는 플레이어와는 어울리지 않는 것이 좋습니다.

- 서버 규칙을 읽고 잘못된 행위를 신고하는 방법을 알아보세요. 방법을 찾지 못했다면 어른에게 신고 기능을 사용하는 방법을 알려 달라고 도움을 청하세요. 여러분이 게임에서 일어나는 일을 스스로 처리할 수 있다고 생각하더라도 이것은 꼭 필요한 일입니다. 여러분이 훌륭한 시민이자 다른 사람을 배려한다는 것을 보여 주는 좋은 계기가 될 수 있습니다. 또 소셜 네트워킹 사이트가 모두에게 안전하고 재미있는 곳이 되도록 유지하는 방법이기도 합니다.

다른 활동과 게임 시간 균형 맞추기

온라인 게임은 한번 몰입하면 꽤 오랜 시간을 하게 됩니다. 때문에 온라인 세계에서 보내는 시간과 오프라인 세계에서 가족이나 친구와 보내기 위한 시간을 나누는 것은 온라인 게임을 하는 사람에게 어려운 숙제입니다. 아무리 게임이 재미있더라도 숙제, 집안일, 가족으로서 해야 할 일, 학교생활이나 실제 활동을 뒷전으로 미루고 계속 게임만 하면 문제가 됩니다. 게임을 통해 배우고, 업적을 쌓고, 다른 사람을 돕고, 큰 발전을 이루고 있다고 느끼더라도, 현실에서 해야 할 일을 소홀히 하지 않도록 책임을 다해야 합니다.
- 캐럴라인 노어(Caroline Knorr) 커먼 센스 미디어

마인크래프트 서버에 가입하는 방법

멀티플레이어 게임플레이를 위한 온라인 접속 방법은 세 가지가 있습니다. 각각 어떤 방법으로 네트워크를 설정하는지 알고 나면, 여러분만큼 마인크래프트를 좋아하는 다른 친구들과 함께 마음껏 게임을 즐길 수 있습니다.

1. 랜 LAN

랜(LAN)은 홈 네트워크 또는 와이파이(Wi-Fi)라고 불리는 근거리 통신망입니다. LAN을 통한 게임플레이는 모르는 사람에게 공개되지 않습니다. 친구나 가족이 한집에 있는 경우, 각자 다른 컴퓨터를 쓰더라도 같은 네트워크에 연결되어 있다면 함께 게임을 즐길 수 있습니다.

2. 공용 또는 사설 서버

친구가 홈 네트워크에 없는 경우에도 집에 있는 컴퓨터를 사설 서버로 사용하면 마인크래프트를 열고 친구가 참여하게 할 수 있습니다. 또한 온라인 공개 서버에 접속할 수 있고 공용 서버에 연결하면 전 세계 사람들과 플레이할 수 있습니다. 붐비는 서버에서는 함께 플레이할 사람을 언제나 찾을 수 있지만, 지켜야 할 규칙도 많고 이를 반드시 준수해야 합니다.

3. 마인크래프트 렐름 Realms

마인크래프트 제작사 모장은 **렐름** Realms이라는 구독 서비스를 제공합니다. 렐름에서는 여러분이 만든 세계에 다른 사람을 초대할 수 있습니다. 최대 10명과 함께 플레이할 수 있고, 친구 초대는 마음껏 할 수 있습니다. 렐름을 설정하는 사람은 비용을 내지만, 초대받은 친구는 무료로 사용할 수 있습니다. 렐름 서버는 항상 온라인 상태이므로 여러분이 접속해 있지 않더라도 친구들은 로그인하고 플레이할 수 있습니다. 자신의 렐름을 설정하는 방법에 대한 정보는 렐름 항목을 참조하세요.

랜(LAN)을 통해 연결하기

1. 집에서 가장 빠른 컴퓨터를 이용하여 마인크래프트를 열고 새로운 세계를 만들거나 기존 세계를 선택합니다. 이것이 호스트 서버가 됩니다.
2. 게임을 열고 그 세계 안에 들어갔다면 Esc(이스케이프) 키를 누른 다음 LAN 서버 열기(Open to LAN) 버튼을 클릭합니다.
3. 게임 모드를 선택합니다. 서바이벌이 기본값이지만 크리에이티브 모드 또는 모험 모드를 선택하거나 치트(플레이할 때 쓸 수 있는 속임수) 사용을 선택할 수도 있습니다.
4. LAN 세계 시작(Start LAN World)을 클릭하면 로컬 게임이 호스팅되었다는 메시지가 표시됩니다.

5. 이제 홈 네트워크에 연결된 다른 플레이어가 자기 컴퓨터에서 마인크래프트를 열고 멀티플레이어 모드를 선택할 수 있습니다. 그 컴퓨터는 자동으로 게임에 참여하게 됩니다.

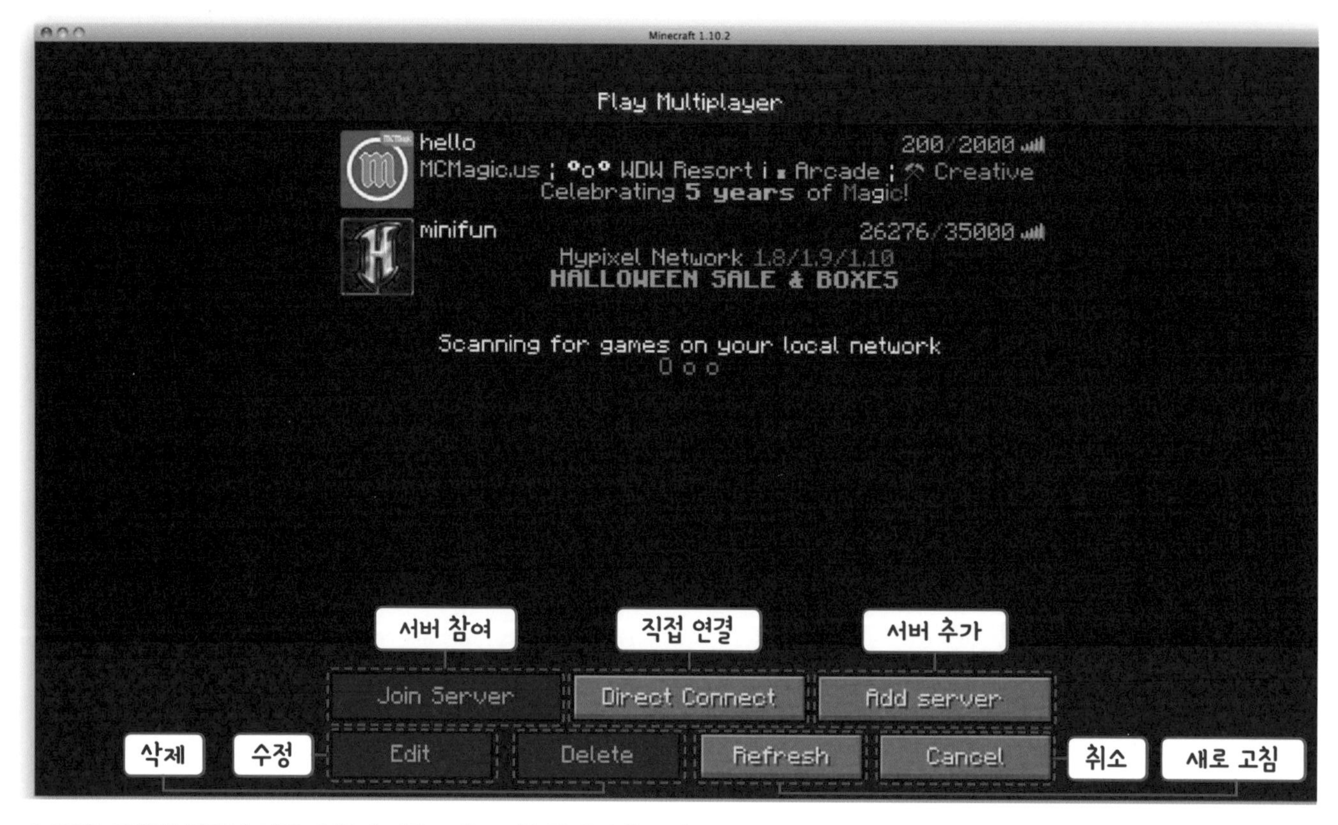

LAN을 이용해 친구나 가족과 함께 마인크래프트를 플레이해 보세요.

공용 서버에 가입하기

1. 마인크래프트를 열고 플레이를 클릭하여 게임을 실행합니다.
2. 메인 타이틀 화면에서 멀티플레이(Multiplayer)를 클릭하세요.
3. 서버 추가(Add Server) 버튼을 클릭합니다.
4. 서버 이름(Server Name) 상자에 서버 이름을 입력한 다음 서버 주소(Server Address) 상자에 서버 주소를 입력합니다. 일반적으로 서버 주소는 mc.intercraften.org 같은 도메인 이름이나 1.2.3.4. 같은 IP로 이루어져 있습니다. 그런 다음 완료(Done)를 클릭해 서버 목록에 추가합니다.
5. 새 서버를 추가하려면 서버 추가를 클릭하고 서버에 대한 자세한 정보를 입력합니다. 그런 다음 서버 참여(Join Server) 버튼을 사용해 서버에 연결할 수 있습니다.
6. 목록에서 서버를 선택한 후 서버 접속 버튼을 클릭해 연결합니다.

서버 이름을 클릭해 이미 방문한 적이 있는 서버에 가입하거나 새 서버를 추가합니다. 이 책에는 많은 서버 정보가 있습니다. 원하는 서버가 있으면 서버 목록에 추가해 가입해 보세요. 어떤 곳은 가입하기 전에 신청서를 써야 하는 곳도 있습니다.

사설 서버 설정하기

자신의 서버를 설정하고 서버에 친구를 초대하면 와이파이 없이 온라인으로 친구와 연결될 수 있습니다. 마인크래프트 사이트를 통해 자신만의 홈 서버를 직접 만들 수 있습니다. 여러분의 서버는 프로그램을 실행할 때만 사용할 수 있습니다. 만약 친구가 원할 때 언제든지 참여할 수 있도록 하려면 서버를 항상 실행 상태로 두어야 합니다. 원치 않으면 여러분이 플레이할 때만 친구가 참여할 수 있게 설정하면 됩니다.

다행히 번거로운 설정 및 호스팅 문제없이 쉽게 서버를 만들 수 있는 사이트가 많습니다. 거의 모든 사이트에서 서버를 호스팅하고 플러그인을 제공하는 데 대한 비용을 청구합니다. 하지만 애터노스 Aternos는 광고를 지원하는 호스팅 사이트라서 무료로 여러분이 사이트를 호스팅할 수 있습니다. 또한 원하는 대로 게임플레이를 할 수 있게 해 주는 플러그인과 맞춤형 옵션을 제공하고 있으므로 여러분의 사설 서버에서 친구들과 재미있게 게임을 즐길 수 있습니다.

최고의 서버를 선택하는 법

서버가 너무 많으면 자신에게 맞는 서버를 찾기 어려울 수 있습니다. 멀티플레이를 많이 해 본 플레이어는 단골 서버가 있고 그날그날 어떤 게임을 하고 싶은지, 누구와 플레이하고 싶은지에 따라 로그인합니다. 이 책 전체에 나오는 서버들을 한 번씩 체험해 보면 마음에 드는 곳을 찾는 데 도움이 됩니다. 새 서버에 가입할 때는 돈을 내지 않습니다. 마음에 들면 계속 접속할 수 있으며, 마음에 들지 않으면 접속하지 않아도 됩니다.

이 책에 나오는 서버는 여러분을 가장 반갑게 맞아주고 가족 같은 분위기이며, 재미있고 신뢰할 수 있는 환경을 갖춘 곳으로 골랐습니다. 그리고 책에 나오지 않더라도 그런 곳이 많이 있습니다. 매일 새로운 서버가 생기므로 열린 마음으로 찾다보면 게임 경험을 넓힐 수 있습니다. 멀티플레이 서버를 찾기 위해서는 개방형 또는 그레이리스트 서버보다 화이트리스트 서버를 선택하는 것이 더 낫습니다.

또한 채팅을 중재해 주는 사람이 있거나 언제든 종료할 수 있는 서버여야 하며, 여러분이 편안하게 게임할 수 있도록 차단 보호, 그리핑 보호, 플롯 보호 기능이 있고, 플레이어에게 적합한 환경을 제공하는 서버를 찾아야 합니다.

전문가 팁: 멀티플레이어 매너

누군가가 로그인할 때는 먼저 '안녕' 또는 '안녕하세요.'라고 인사해 보세요. 처음 게임플레이를 하기 전에는 인사를 하는 것이 좋습니다. 저 역시 처음 플레이를 시작했을 때 여러 서버에 들어가 보았는데 아무도 제가 로그인했는지 알지 못했습니다. 하지만 시간이 지나면서 간단히 인사를 하는 문화가 점차 퍼지기 시작했습니다. 이제 여러분이 서버에 로그인할 때마다 여러 플레이어가 인사할 것입니다. 인사는 새로운 사람이 게임에 참가하겠다는 것을 모든 이에게 알리는 메시지이기 때문에 인사한 사람을 환영하게 됩니다. 심지어 어떤 사람들은 새로 온 플레이어를 '우리 중 하나'라고 말하기도 합니다.

- 지미 태신(Jimmy Tassin), 옴니크래프트 창립자

A

애드스타 Addstar

애드스타 MC는 친절한 플레이어들이 모인 커뮤니티가 있는 재미있는 서바이벌 서버입니다.
애드스타에 로그인하고 매번 다른 경험을 선택해 보세요. 게임이나 미니 게임을 플레이하면서 친구를 만나세요. 플레이하는 방법을 잘 몰라도 걱정할 필요는 없습니다.
http://addstar.com.au/games를 입력해 들어가 보세요. 기본 사항에 대한 튜토리얼(무언가를 배우기 위한 지침이나 교재) 동영상을 볼 수 있습니다. 주변을 돌아다니고 폭포를 통과하며 떠다니고, 스카이블록 서바이벌 세계에서 파쿠르를 하거나, 자신만의 탐험을 할 수도 있습니다. 애드스타 플러그인에는 그리프 방지, 파운드 다이아몬드 FoundDiamonds, 로그블록 Log Block, LWC, 크래프티피디아 Crafti-pedia, 미니 게임들, 로터리플러스 LotteryPlus, 체스크래프트 ChessCraft, 카지노슬롯 CasinoSlots, 시티즌 Citizens 등이 있습니다.
이 서버는 어린이도 쉽게 할 수 있도록 만들어졌기 때문에 모든 플레이어들의 건물과 집은 그리프 방지 기능으로 보호됩니다. 추가로 그리핑을 보고하면 건물 및 재산을 복구할 수 있는 롤백 기능이 있습니다. 이 사이트는 채팅 검열 기능을 통해 욕설을 차단하고 직원이 게시판을 모니터링해 도움을 제공하거나 채팅을 해 줍니다. 그리핑 금지, 해킹 금지, 트롤링 금지, 스팸 발송 금지, 욕설 금지, 잔소리 금지, 소리 지르기(모두 대문자로 입력하는 행위 등) 금지와 같은 규칙들이 있습니다.

http://addstar.com.au를 방문해서 서버 정보를 찾아 로그인해 보세요.

애드스타 메인 홀은 기념일에 맞춰 꾸며집니다. 메인 홀에서 모험을 선택해 보세요.

친화적인 서바이벌 서버 목록에서 애드스타 배너를 찾을 수 있습니다. 클릭하여 더 많은 정보를 확인하세요.

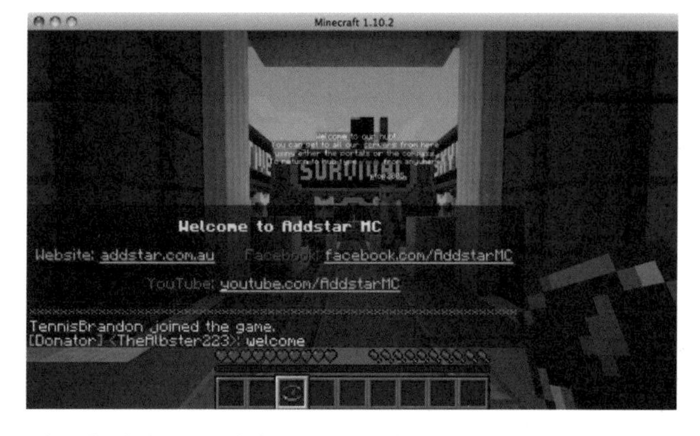

최고의 컬러 블록 파티를 보려면 애드스타 MC를 확인해 보세요. 이 미니 게임은 멀티플레이어 모드에서 최고의 재미를 즐길 수 있도록 해 줍니다.

이미 추가한 서버 목록에서 게임을 선택하거나 오른쪽 하단에 있는 서버 추가(Add Server)를 클릭해 새 서버를 추가합니다.

관리자 Admin(Administrator)

서버마다 관리자가 있습니다. 관리자는 플레이어를 돕고, 규칙을 시행하며, 나쁘게 행동하는 플레이어를 차단합니다. 슈퍼 관리자(SAdmin, S 관리자)도 있는데, 전체 서버 규칙을 정하고 서버와 세계의 규칙을 만듭니다. 또한 채팅, 도움말 게시판 및 플레이어 행동을 지켜본 뒤 문제가 생기면 플레이어를 차단하거나 신 모드(God mode)로 해결합니다. 때로는 플레이어 사이의 충돌을 해결하는 데 도움을 줍니다.

모험 모드 Adventure mode

모험 모드는 플레이어가 만든 지도를 중심으로 게임을 만들어 내도록 구현합니다.

일반 바닐라 모드는 게임에 필요한 특정 블록을 파괴할 수 없도록 제한되어 있지만 모험 모드에서는 아이템을 제작할 수 있습니다. 몹과 겨루기도 하고, 아이템 액자를 만들며 페인팅을 하기도 합니다. 그리고 명령어 블록도 사용합니다. 누가 왜 이런 행동을 하는지 의아할 수도 있습니다.

만약 여러분이 멋진 미로를 만들어서 친구와 시합한다고 가정해 봅시다. 제한 시간 안에 몹에게 당하지 않고 누가 먼저 골인 지점에 도착하는지 겨루는 것입니다. 그런데 이때 상대방이 미로 벽을 부수고 곧장 골인 지점까지 가기를 바라지는 않을 것입니다. 그럴 때는 미로를 모험 모드로 만들고 친구들이 그 과정에 있는 모든 도전 과제를 걷고 뛰며 수행해야만 통과할 수 있게 만들 수 있습니다. 모험 모드는 파쿠르와 스카이블록 맵, 그 밖의 모든 PvE(플레이어 대 환경)에서도 할 수 있습니다.

팁

LAN, 서버 또는 렐름을 설정했다면, 다음 명령어를 사용해 다른 게임 모드에서 모험 모드로 서버를 바꿀 수 있습니다.

/gamemode adventure
/gamemode a
/gamemode 2

마인크래프트 스토리 모드는 게임 개발사인 텔테일 게임즈 Telltale Games의 그래픽 어드벤처 비디오 게임으로, 모험 플레이를 선택할 수 있습니다.

마인크래프트 스토리 모드에서는 온라인으로 가서 퍼즐을 풀고, 좀비와 싸울 수 있습니다. 다른 캐릭터와 대화하며 스토리를 진행해 보세요.

모험 모드에서는 서버를 자유롭게 탐색하며 환경과 상호작용할 수 있습니다. 서버마다 다른 경험을 제공합니다.

어떤 모험은 선택하는 데 시간제한이 있습니다.

자리 비움 AFK(Away From Keyboard)

멀티플레이 게임을 하는 도중에 잠시 자리를 비워야 한다면 명령어 /afk를 입력하세요. 자리를 비워 키보드를 사용하지 않으면 비활성 상태가 되어 서버로 부터 강제 퇴장당할 수 있습니다. 이것은 여러분을 보호하기 위한 조치입니다. 또한 자리를 비운 동안, 돌아올 때까지 좀비가 집에 침입하지 않도록 해 줍니다. 물론 서버를 보호하기 위한 것이기도 합니다.

동맹 Alliance

멀티플레이어 모드에서 성공할 수 있는 가장 좋은 방법은 다른 플레이어와 동맹(둘 이상이 하나의 목적을 위해 같이 행동하기로 약속을 맺는 것) 관계를 만드는 것입니다. 마인크래프트에 동맹이 있으면, 장난이 심한 못된 플레이어(그리퍼)가 여러분의 물건을 함부로 파괴하거나 훔치지 못합니다. 혹시 그런 일을 당했다고 해도 함께 공격해 줄 지원군이 되어 줍니다. 공격성이 강한 몹을 만났을 때도 도움을 받을 수 있습니다.
동맹을 맺고 싶은 플레이어가 있다면 집을 짓거나 몹을 물리칠 때 옆에서 돕고, 여러분이 쓰지 않지만 동맹에게 필요한 아이템이 있다면 선물하는 것이 좋습니다.

무정부 Anarchy

무정부 서버에는 규칙이 거의 없으니 위험을 감수해야 합니다. 그리고 무엇을 하든 눕(noob, 게임에 대해 잘 모르는 초보)처럼 보이면 안 됩니다. 무정부 세계에서는 죽이거나 죽거나, 먹거나 먹히거나, 훔치거나 빼앗기기 마련입니다. 이런 모험을 좋아한다면 재미를 느낄 수 있지만 늘 주의해야 합니다. 무정부 서버에서는 매우 심한 그리핑과 욕설이 오가며 사용자가 하는 일이나 행동에 크게 참견하지 않습니다. 많은 PvP 게임이 무정부 상태입니다. 대부분 어른들은 무정부 서버가 어린이에게 안전하지 않은 NSFK(Not Safe For Kids)라고 생각하므로, 미성년자라면 가입하기 전에 반드시 어른에게 허락을 받아야 합니다.

무정부 서버 맵에는 규칙이 없는 대신 장애물이 많습니다. 신중하게 동맹을 고르고 가까이 두세요. 적은 더 가까이 두고 지켜봐야 합니다.

아케이드 게임 Arcade Games

일부 서버는 아케이드 게임(오락실에서 동전을 넣고 하는 게임으로 간단한 게임이 많음.)을 호스팅하는데, 고전 아케이드 게임과는 약간 다릅니다. 마인크래프트 아케이드 게임은 20분이 채 걸리지 않으며, 고전 아케이드 게임 속 미니 게임보다 게임 시간이 짧습니다. 어떤 서버는 아케이드 게임을 미니 게임이라고 하고 고전 게임을 아케이드 게임이라고 부르기도 합니다.

어떤 서버에서는 맵 속에 있는 특정 지역에 바로 접속할 수 있습니다. 폭포, 차원문, 나침반, 워프(특정 장소로 이동) 등 순간 이동하는 방법은 다양합니다.

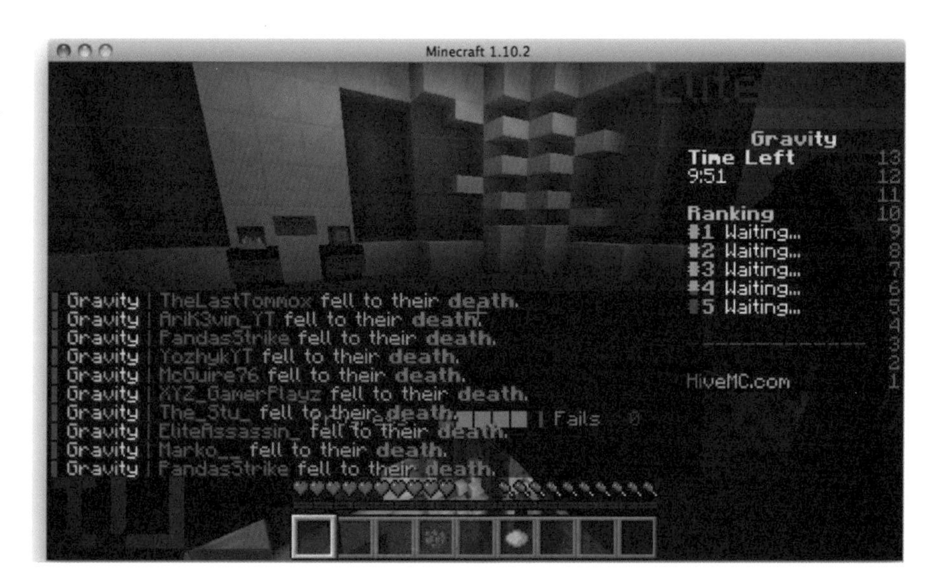

그래비티 Gravity는 하이브에서 할 수 있는 아케이드 게임 가운데 하나입니다. 이 게임에서는 제트팩 Jetpack(하늘을 날 수 있는 1인용 장치)을 착용하고 중력 총으로 다른 플레이어를 쏘면서 우주를 돌아다닐 수 있습니다. 산소나 제트 연료가 바닥나면 탈락합니다.

하지만 어떤 게 맞는지 너무 신경 쓸 필요는 없습니다. 그냥 서버에서 제공하는 게임이 무엇인지 살핀 다음 플레이하면 됩니다.
수많은 아케이드 게임이 있는데, 에어 하키나 팩맨 같은 실제 아케이드 게임을 반영한 것부터 페인트볼이나 깃발 뺏기(CTF, Capture the flag) 같은 실생활 게임, 혹은 퀘스트 완료에 도전하는 것까지 다양합니다.

애터노스 Aternos

애터노스는 자신의 마인크래프트 서버를 무료로 호스팅할 수 있는 플랫폼입니다.
http://atenos.org를 방문해 더 많은 정보를 얻어 보세요. 서버는 여러분의 컴퓨터가 아닌 애터노스 컴퓨터에서 호스팅됩니다. 때문에 다른 플레이어가 서버에 훨씬 쉽게 연결할 수 있으며 여러분의 컴퓨터 속도도 느려지지 않습니다. 또한 이메일 주소만 있으면 가입할 수 있으므로 훨씬 빠르고 간편합니다. 이메일 주소는 비밀번호를 잊어버려서 다시 찾아야 할 때만 사용됩니다. 가입한 다음에는 클릭 한 번으로 서버를 시작할 수 있습니다. 바닐라 마인크래프트 최신 버전으로 서버를 시작할 때 입력한 것이 초기 설정값이 되므로 친구와 서바이벌 멀티플레이 세션을 바로 시작할 수 있습니다. 반대로 여러분이 서버를 커스터마이징(환경에 맞도록 마음대로 바꾸는 것)하는 방법도 있습니다. 애터노스는 친구와 함께 플러그인을 가지고 놀거나 모드 팩을 사용해 볼 수 있는 훌륭한 플랫폼입니다. 모든 플러그인, 모드, 모드팩은 애터노스 직원이 직접하기 때문에 최대한 어린이의 안전을 보장합니다. 만약 서버에 문제가 생기면 애터노스 지원팀의 도움을 받을 수 있습니다. 다른 플랫폼은 서비스 비용을 청구할 수 있지만 애터노스는 무료입니다. 광고 수익이 플랫폼을 유지하는 데 도움이 되기 때문입니다(광고가 너무 많은 것은 아니며 어린이에게 위험한 내용은 없음.). 애터노스는 젊은 독일 플레이어와 컴퓨터 전문가로 구성된 작은 팀이 운영합니다. 2013년에 설립되었으며 전 세계 250만 명 이상이 사용했습니다.

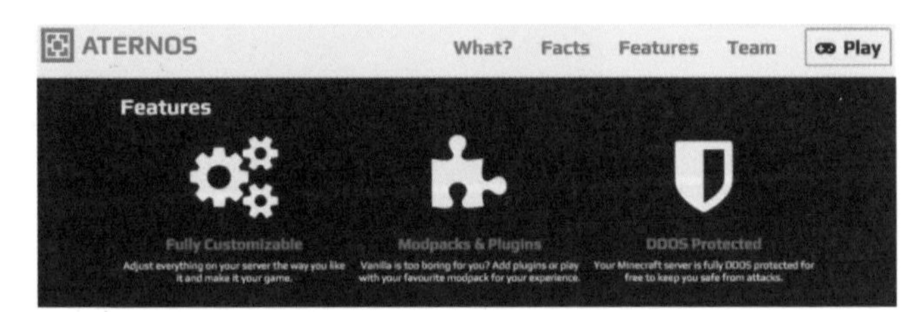

애터노스는 자신의 서버를 운영할 준비가 된 플레이어에게 많은 선택권을 제공합니다.

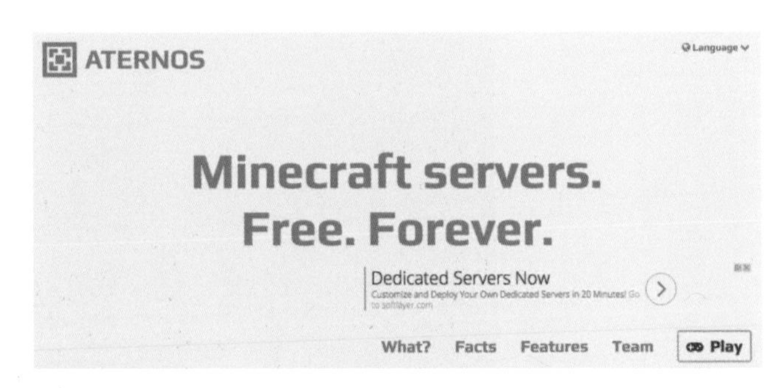

애터노스에서는 서버를 무료로 만들 수 있습니다. 자신만의 멀티플레이 게임 서버가 있으면 게임을 더 잘 운영할 수 있습니다.

AWNW (A Whole New World 새로운 세상)

AWNW는 친구나 가족과 함께 마인크래프트를 쉽게 플레이할 수 있는 방법을 찾던 개발자 SpaZ MonKeY777과 카이오코가 만든 서버입니다. 더 많은 사람들이 사용할 수 있도록 사이트를 공개한 뒤 빠르게 성장했으며, 온라인 게임을 할 수 있는 여러 방법을 제공하는 게임 네트워크로 자리 잡았습니다.

A WHOLE NEW WORLD
AWNW.net Survival, Skyblock, Pixelmon and More!

AWNW는 화이트리스트 서버이며, 건축 콘테스트 및 간단한 이벤트와 함께 스카이블록을 제공하고, 크리에이티브 및 서바이벌 세계가 있습니다.

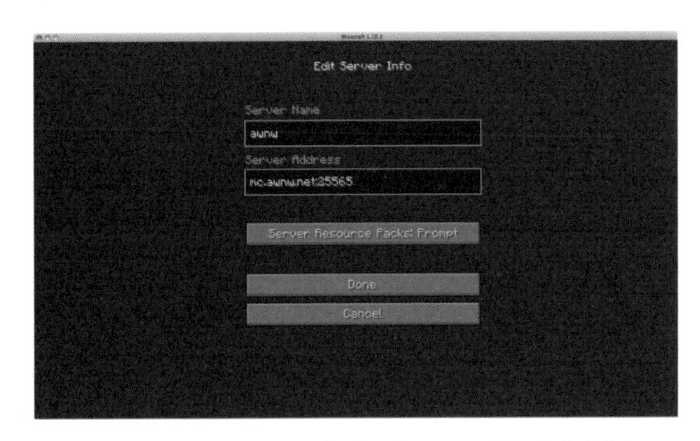

새 서버를 쓰고 싶다면, 서버 이름과 IP 주소를 입력하세요. 스카이블록이나 픽셀몬 같은 인기 있는 멀티플레이 게임으로 이동할 수 있습니다.

서버에 있는 것

- 서바이벌 Survival
- 하드 모드 Hard mode
- 스카이블록 SkyBlock
- 크리에이티브 Creative
- 픽셀몬 Pixelmon
- 박물관 Museums

제공되는 미니 게임

- 몹 아레나 Mob Arena
- 블록 헌트 Block Hunt
- 페인트볼 아레나 Paintball Arena
- 슈퍼 스플리프 Super Spleef

AWNW를 매우 재미있게 만드는 것은 곡예, 파티, 길들이기와 같은 추가 **McMMO** 플러그인입니다. 이런 플러그인들은 게임플레이 경험을 넓히고 더 재미있게 즐길 수 있는 방법을 제공합니다.
AWNW에 가입하면 게임을 더 즐겁게 만드는 추가 명령어를 확인할 수 있습니다.
www.awnw.net을 방문해 자세한 내용을 알아보세요. 서버 ID: mc.awnw.net:25565

B

차단 Ban

모든 서버에는 서버에서 만든 규칙이 있습니다. 규칙을 따르지 않으면 서버 관리자가 게임을 차단할 수 있습니다. 관리자는 하루, 일주일, 한 달 등의 단위로 차단되는 시간을 정할 수 있습니다.

드물지만 아주 큰 잘못을 하면 다시는 서버에 돌아올 수 없는 '영구 차단'도 있습니다. 영원히 차단되거나 서버에서 쫓겨나는 경우 여러분의 ID가 영구 차단 목록에 추가되고, 다른 화이트리스트 서버에 가입하지 못할 수도 있습니다.

누군가가 여러분을 놀리거나 괴롭힌다던지 그리핑하면 모더레이터, 관리자 또는 서버를 감독하는 사람에게 연락하세요. 어린이 플레이어가 많은 서버에는 모더레이터가 있는데 채팅으로 말을 걸면 대답해 줍니다. 서버 웹사이트를 방문해 온라인 상태인 모더레이터를 찾은 다음 /msg (플레이어 이름) (메시지)를 입력합니다. 예를 들어 'smod62happydude'에게 그리핑을 받아서 도움이 필요하다는 말을 하고 싶다면 다음과 같이 입력합니다.

/msg smod62happydude
나를 도와줄 수 있어요? 괴롭힘을 당하고 있어요.

괴롭힘을 당하는 장면이나 불쾌한 채팅, 괴롭힘으로 인해 겪은 피해 등을 스크린샷 증거로 남기는 것이 좋습니다.

차단에 대한 이의 제기

누구나 실수를 합니다. 플레이어도 하고 관리자도 할 수 있습니다. 서버에서 차단당한 경우 관리자에게 연락해 여러분의 상황을 설명하고 차단을 해제할 수 있는지 물어볼 수 있습니다. 다음은 차단에 대한 이의를 제기할 때 필요한 몇 가지 지침입니다.

- 이의를 제기할 때는 나쁜 말이나 욕을 사용하지 마세요.
- 예의와 이해심을 가지세요.
- 여러분 입장에서 상황을 짧게 있는 그대로 설명해 보세요. 관리자는 세부 정보를 충분히 알고 있기 때문에 여러분의 설명이 사실인지 확인할 수 있습니다.
- 여러분이 서버에서 한 행동에 책임져야 한다는 사실을 기억하세요.

주의 사항

관리자는 여러분의 마인크래프트 사용자 이름 또는 여러분의 IP 주소(여러분이 게임을 플레이하는 데 사용하는 컴퓨터)를 차단할 수 있습니다. 사용자 이름이 차단된 경우 다른 사용자 이름으로 로그인할 수 있지만 조심하세요. 관리자가 이를 알게 될 경우 차단 기간이 늘어날 수 있습니다.

생물 군계 Biomes

생물 군계는 싱글플레이어 모드와 마찬가지로 멀티플레이어 모드에서도 기후나 몹, 지리 특성이 다릅니다.
다만 싱글플레이어 모드에서 생존하는 데 가장 알맞은 생물 군계라고 해도 멀티플레이어 모드까지 플레이하기 적합한 것은 아닙니다. 멀티플레이어 모드에 가장 알맞은 생물 군계는 평원, 사바나, 바람이 세찬 언덕(Windswept Hills, 1.18부터 이름 바뀜.)입니다. 사바나와 평원 생물 군계는 탁 트인 공간이기 때문에 다른 플레이어들과 충돌하는 일이 적습니다. 멀티플레이어 모드에서 플레이할 때는 숲과 버섯 섬 생물 군계를 피하세요. 숲은 생존하기 적합해서 많은 플레이어를 끌어 들이기 때문에 늘 붐빕니다. 또한 집에 불을 지르고 물건을 훔치는 그리퍼들로 가득 차 있습니다. 버섯 섬 생물 군계 또한 고립된 지역이기 때문에 멀티플레이를 하기에는 적당하지 않습니다.

드넓은 평원 생물 군계에서는 경쟁자 없는 넓은 공간과 미개척 자원을 즐길 수 있습니다.

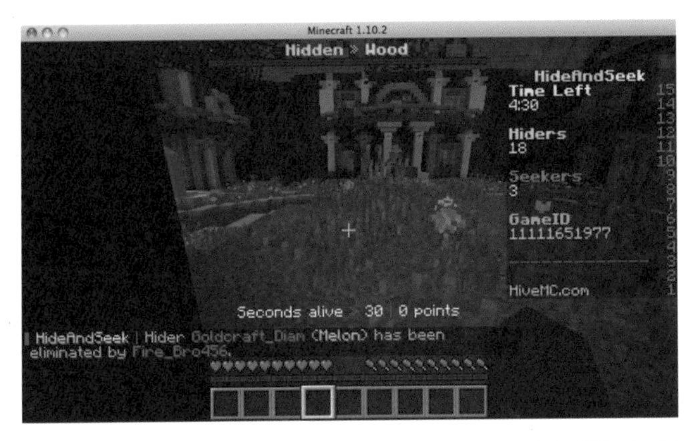

숨바꼭질을 할 때 나무에 기대면 나무 블록처럼 위장할 수 있습니다.

블록 헌트 Block Hunt

블록 헌트는 프롭 헌트 Prop Hunt나 숨바꼭질로 알려진 마인크래프트 게임 모드입니다. 여기서 여러분은 울타리, 크리퍼, 그 밖의 다른 일상적인 물건과 같은 소품이 되어 상대방이 여러분을 찾지 못하기를 바라면서 뻔히 보이는 곳에 숨어 있으면 됩니다. 오싹할지, 재미있을지 직접 경험해 보세요.

블록 대 좀비 Block vs. Zombies

식물 대 좀비를 좋아한다면 블록 대 좀비도 좋아하게 될 것입니다. 블록 대 좀비는 자신의 서버에 설치해 친구들과 플레이할 수 있는 버킷 플러그인입니다.

플레이 방법: 20분 동안 좀비의 격렬한 공격에서 살아남으면 승리합니다. 느리지만 꾸준히 몰려오는 좀비에게 화살을 쏘세요. 금과 포인트를 사용해 보호 장벽을 추가 구입하면 더 안전해집니다. 무기를 업그레이드하고 대포와 함정을 사용해 한 번에 더 많은 좀비를 처치할 수 있습니다. 이 게임은 초보자에게 게임 규칙을 안내하는 사용 설명서를 제공합니다.

팁

투명 좀비를 조심하세요!
어떤 화이트리스트 서버에서 이 게임을 제공하는지 온라인에서 쉽게 검색할 수 있습니다. 좋은 즉흥 게임을 할 수 있는 기회를 늘리고 싶다면 일반 플레이어가 많은 플레이를 선택하는 것이 좋습니다.

식물 대 좀비를 재현한 블록 대 좀비를 하다 보면 이 앱에 대한 관심이 더 커질 것입니다.

버킷 Bukkit

버킷/크래프트버킷은 플러그인과 함께 사용할 수 있는 서버 소프트웨어에 해당합니다. 보통 밑에 깔려 있는 프로그램을 버킷이라고 하고, 실제 사용할 수 있는 서버 소프트웨어를 크래프트버킷이라고 하지만 서버 소프트웨어를 그냥 버킷이라고 부르기도 합니다. 버킷은 최초의 마인크래프트 서버 모드 중 하나인 에이치모드 hMod 팀원이 만들었는데, 2014년에 개발이 중단되는 위기를 겪었습니다. 현재 버킷은 '스피곳' 팀에서 관리합니다.

C

깃발 뺏기 Capture The Flag(CTF)

깃발 뺏기는 2개 이상의 팀이 상대방 기지에서 아이템(보통은 깃발)을 얻어 자신의 기지로 가져오는 동시에 자신의 깃발을 지켜야 하는 게임입니다.
적의 기지에 몰래 숨어들어가 아이템을 가져오는 것이 마음에 든다면 이 멀티플레이 대결에 참여해 보세요. 게임에 참여하는 순간부터 진행 중인 게임으로 순간 이동되며 팀원이 부족한 팀에 먼저 들어가게 됩니다. 여러분의 머리 색깔은 여러분의 팀원과 들어맞도록 빨간색이나 파란색으로 바뀌고, 다른 팀이 탐내는 깃발을 보호하거나 적을 잡는 데 힘써야 합니다. 번개 불빛을 따라가면 불꽃이 튀는 구름 속을 달리는 플레이어가 있을 겁니다. 그 플레이어가 깃발을 들고 있습니다.

팁

빨리 승리하고 싶다면, 빠른 속도로 달릴 수 있는 수도사(Monk) 클래스로 참여해 보세요.

깃발 뺏기는 재밌고 빠르게 진행되는 게임입니다. 익숙해지려면 여러 번 해 봐야 합니다. 게임에 참여하자마자 자기 편 깃발을 찾아 방어가 필요한지 확인하고, 경기장과 적의 위치를 파악할 수 있는 높은 은신처를 찾으세요.

채팅 Chat

멀티플레이어 모드에는 글을 쓸 수 있는 채팅 기능이 들어 있습니다. 플레이어가 메시지를 입력하면 각자 화면 아래에 표시됩니다. 어떤 플레이어한테는 채팅이 온라인 게임을 하는 목적이기도 하지만 부모님과 선생님에게는 아이들이 서버에 접속하지 못하게 하는 이유가 되기도 합니다. 서버에 엄격한 규칙이 있더라도 필터가 없으면 부적절한 글이 채팅을 통해 오갈 수 있습니다. 욕을 사용할 수 없게 막는 필터가 있지만 다른 방법을 찾는 플레이어도 있습니다. 또한 감시가 소홀한 놀이터에 나쁜 사람이 있는 것처럼 괴롭힘이 생길 수 있습니다. 많은 서버에는 진행 상황을 지켜보다가 문제가 생길 때 끼어들어 도움을 주는 모더레이터가 있습니다. 물론 대부분 서버에서는 일반 플레이어가 서로 살피며 문제가 일어나면 나서 주기도 합니다.

온라인 상태일 때 특정 채팅 기능을 비활성화(프로그램이 실행되지 않는 상태)하는 방법이 있습니다. 예를 들어 컴퓨터에서 채팅을 끄거나, 명령어 /ignore 를 입력해 여러분을 괴롭히는 플레이어를 무시하거나, 감시자가 있는 서버에 가입할 수 있습니다. 또한 아예 채팅을 차단하는 서버에 가입할 수도 있습니다.

채팅은 신입 플레이어가 경험 많은 플레이어에게 질문을 하고, 다른 플레이어와 농담을 주고받는 소통 창구가 됩니다.

채팅 끄는 법

1. Esc 키를 눌러 설정 메뉴를 불러옵니다.
2. 설정(options)을 클릭합니다.
3. 설정 화면에서 대화 설정(Multiplayer Setting)을 선택합니다.
4. 채팅 표시를 선택하고 명령어만 표시하거나 숨기기로 설정합니다. 채팅을 숨기면 다른 플레이어의 새 채팅 메시지가 보이지 않고 메시지를 입력할 수도 없습니다. 명령어만 입력할 수 있게 설정하면 꼭 필요한 명령어를 계속 사용할 수 있습니다.

팁

썩은 사과 하나가 전체를 망가뜨리듯 누군가 여러분을 성가시게 한다면, 채팅창에 명령어 /ignore와 차단하고 싶은 사용자 이름을 입력하세요. 그 사람 말만 차단됩니다.

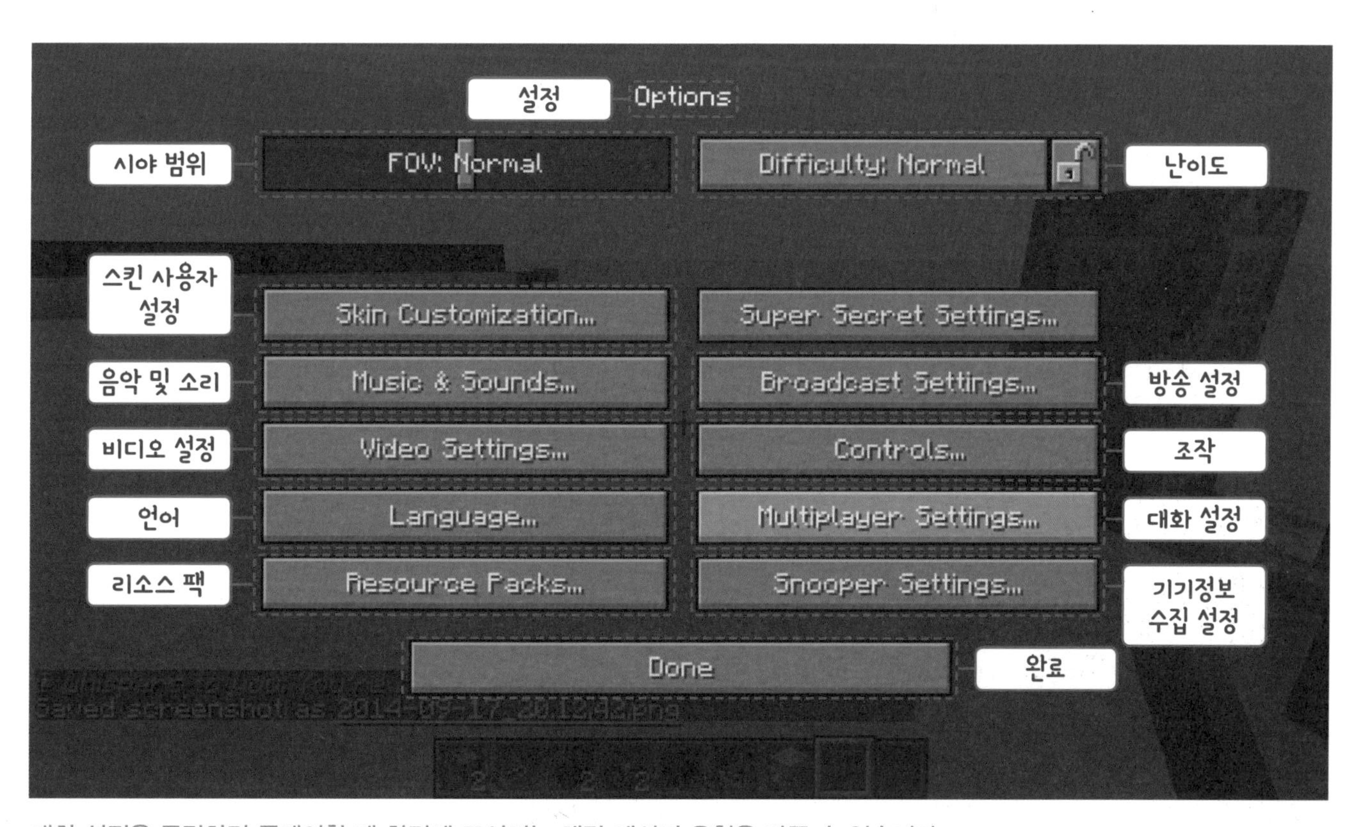

대화 설정을 클릭하면 플레이할 때 화면에 표시되는 채팅 메시지 유형을 바꿀 수 있습니다.

소유권 Claims

타운크래프트나 **큐브빌** 같은 일부 서버는 플레이어가 땅 한 구획을 가질 수 있도록 합니다. 이러한 서버는 플레이어의 땅 소유권을 보호하기 위해 '그리핑 방지'라는 플러그인을 사용합니다. **MC매직** 서버에서는 자유 건축(Free Build)이라고도 합니다. 그리핑 방지 기능 덕에 땅을 쉽게 지킬 수 있습니다. 집 가운데 상자를 설치한 다음 황금 삽을 이용해 소유권을 주장하고 싶은 땅 바깥쪽 모서리를 클릭해 땅을 지정하면 됩니다.

채팅창에 '어떻게 땅을 가질 수 있나요?'(영어로 how do I claim land?'라고 치면 됨.)를 입력하면 단계별 튜토리얼을 볼 수 있습니다.

예를 들어 타운크래프트에서는 처음 로그인할 때 자동으로 100개의 보호 블록을 받고, 서버에서 보내는 시간만큼 추가 블록을 얻게 됩니다. 게임 속 몹이나 대회에서 얻은 스펀지로 블록을 살 수도 있습니다.

어떤 서버에서는 땅을 마련하려면 가상 화폐를 벌어야 합니다.

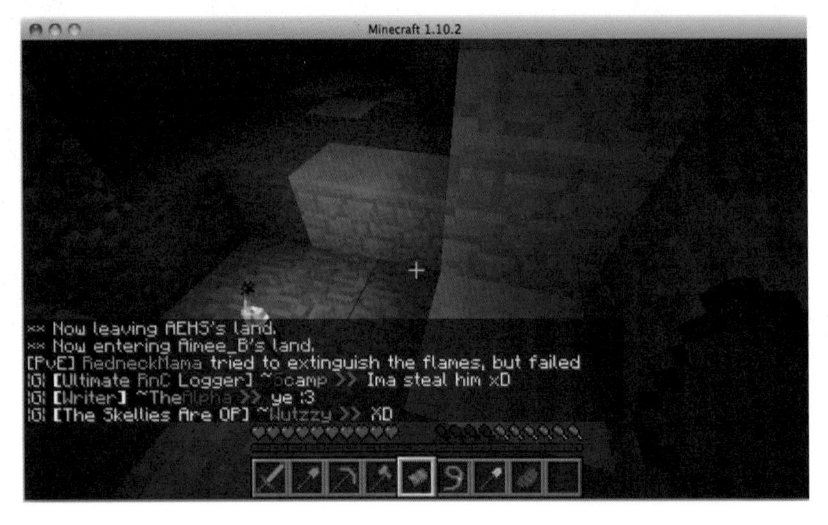

농가를 지을 수 있는 소유권을 주는 서버도 있습니다. 랜치크래프트에서 다른 플레이어의 목장을 방문하고 하룻밤을 보낼 수 있으며, 말이 없다면 빌릴 수도 있습니다.

폐쇄형 서버 Closed Server

폐쇄형 서버는 공개되지 않은 서버이므로 모든 사람이 가입해 플레이할 수 있는 것은 아닙니다. 폐쇄형 서버는 몇몇 친구들이 개인적으로 생존 경험을 즐기는 서버일 수도 있고, 나이 제한이 있는 곳일 수도 있습니다. 폐쇄형 서버는 원치 않는 플레이어가 들어오는 것을 막기 위해 **화이트리스트**, 심지어 **그레이리스트**를 쓰는 경우도 있습니다.

명령어 Commands

집에서 싱글플레이어 모드로 게임을 할 때는 서버 명령어를 거의 쓰지 않거나 치트를 활용할 수도 있습니다. 사실 어떤 사람들은 명령어조차 치트라고 생각하기도 합니다.

서버 명령어

아래 명령어를 멀티플레이어 모드에서 직접 써 보세요. 게임을 한층 더 재미있게 만들 수 있습니다. 물론 아래 있는 명령어가 모든 서버에서 사용되는 것은 아닙니다. 사용 가능한 게임 명령어 목록을 보려면 /help를 입력하세요.

/lobby 또는 /leave는 멀티플레이 게임을 종료하고 다른 게임을 선택하는 곳으로 돌아갈 수 있습니다.

/whisper <플레이어 이름> <메시지>는 다른 사람 모르게 특정 플레이어한테 메시지를 보낼 수 있습니다.

/give <player> <item> [amount] [datavalue]는 다른 플레이어에게 아이템을 줄 수 있습니다. (데이터값, datavalue은 아이템마다 다른데 양털 같은 경우 색을 나타냅니다.)

/tp <player> <player2>를 사용하면 다른 플레이어에게로 순간 이동할 수 있습니다.

/kill [player]를 사용하면 상대 플레이어에게 1000의 공허 피해를 줄 수 있습니다. 단, 상대 플레이어의 이름을 입력하는 것을 잊어버리면 자기 목숨을 잃게 되니 주의하세요.

/list를 사용하면 온라인 상태인 플레이어를 볼 수 있습니다.

/sethome은 현재 서 있는 위치를 홈 포인트로 설정합니다.

/home 집으로 순간 이동합니다.

/setspawn은 현재 위치를 스폰 지점으로 설정합니다.

/tp X Y Z 는 좌표가 X, Y, Z인 특정 위치로 순간 이동합니다.

반면 멀티플레이 세계에서는 많은 서버에서 주요 기능을 사용하기 위해 명령어를 사용합니다. 명령어를 실행하려면 키보드에서 T를 누르거나 /(슬래시) 키를 누른 다음 명령어를 입력하세요. 글이나 방향을 써야 할 수도 있습니다. 어떤 서버에는 고유 명령어가 있는데, 파악하고 익히기가 매우 쉽습니다. 만약 어떤 명령어를 사용할 수 있는지 잘 모르겠다면 서버에 /를 입력하고 탭 키를 계속 누르면 사용 가능한 명령어 목록을 탐색할 수 있습니다.

경찰과 도둑 Cops and Robbers

이 미니 게임에서는 한 플레이어만 경찰이고 나머지는 도둑입니다. 경찰이 도둑에게 무엇을 해야 하는지 알려 줍니다. 도둑들은 경찰 말을 듣지 않으면 처벌받습니다. 경찰의 명령을 따르면서 몰래 탈출할 방법을 찾아야 합니다.

경찰과 도둑 게임에서 법을 지키거나 반대로 범법자가 되어 보세요. 이 게임은 교도소 Prison 또는 감옥 Jail이라고도 알려져 있습니다.

크래프트버킷 Craftbukkit

크래프트버킷, 줄여서 버킷 서버는 바닐라 서버와 반대입니다. 바닐라는 모드가 없는 버전이지만, 크래프트버킷을 사용하면 게임플레이를 확장하고 더 많은 것을 할 수 있게 해 주는 모드와 플러그인을 쓸 수 있습니다. 마인크래프트는 샌드박스라는 개방형 플랫폼을 바탕으로 만들어졌기 때문에 누구나 프로그램에 새로운 기능을 추가해 게임 방식을 바꾸며 확장할 수 있습니다. 크래프트버킷은 집에서 싱글플레이 모드로 마인크래프트를 실행하거나, LAN 네트워크 게임을 호스팅할 때, 마인크래프트 서버를 호스팅할 때 공식 마인크래프트 서버와 함께 작동하도록 하는 다운로드 프로그램입니다. 진행하고 있는 다른 서버에 참여하거나 바닐라 버전 게임을 플레이할 때는 크래프트버킷을 다운로드할 필요가 없습니다.

크레이지피그 CrazyPig

크레이지피그는 친화적인 마인크래프트 멀티플레이 서버로 관리자와 직원이 재미있고 안전한 환경을 만들기 위해 노력하고 있습니다. 이 사이트는 욕설을 비활성화하고 게임 속 채팅을 켜거나 끌 수 있으며, 그리핑 보호 기능이 있습니다. 사이트 맵에는 다음과 같은 것이 있습니다.

크레이지피그는 휴일을 즐겁고 유쾌하게 보낼 수 있는 특별한 이벤트를 제공합니다.

- 다른 모든 세계로 들어갈 수 있는 로비
- 캠브리아 Cambria: 어려움 모드의 서바이벌 모드
- 인새니아 Insania: 더 어려운 서바이벌 모드
- 게임 Games: 미니 게임 세계
- 아틀란티카 Atlantica: 신규 플레이어를 위한 쉬움 모드의 서바이벌 모드
- 플롯 Plot: 플레이어가 원하는 것은 무엇이든 만들 수 있는 창의적인 세계. 소유권이 주어짐.

http://crazypig.enjin.com을 방문해 자세한 내용을 알아보세요. 서버 IP: play.crazypig.net

크리에이티브 모드 Creative Mode

크리에이티브 모드에서는 블록이 무수히 많고, 어떤 피해도 입지 않으며, 배고프지도 않습니다. 몹에게 공격당할 염려도 없고, 하늘을 날 수도 있습니다. 크리에이티브 서버에서는 테마파크, 마을 건설 같은 프로젝트를 통해 서로 도우며 새로운 것을 만드는 재미가 있습니다. 크리에이티브 모드의 서버 예시로는 마인크래프트 '가운데 땅'이 있습니다. 이곳은 J.R.R 톨킨의 <반지의 제왕>에 나오는 세계를 재현하는 것이 목표입니다. 건축가와 프로젝트 관리자를 모집해 세계를 만드는 중입니다.

큐브크래프트 Cubecraft

2013년에 설립된 큐브크래프트는 마인크래프트 네트워크 가운데 세계 최대 규모를 자랑합니다. 매일 십만 명 이상의 플레이어가 서버에 로그인하고 최대 3만 명이 동시에 접속합니다.

이 사이트는 스카이워즈 SkyWars, 타워 디펜스 Tower Defence, 럭키 아일랜드 Lucky Islands, 마이너웨어 MinerWare, 에그워즈 EggWars 같은 독특한 게임들이 있습니다. 장점은 독특한 개인 플레이 및 팀 플레이 게임이 많으며, 동시 접속자가 많아 진행되고 있는 게임을 언제나 찾을 수 있다는 것입니다.

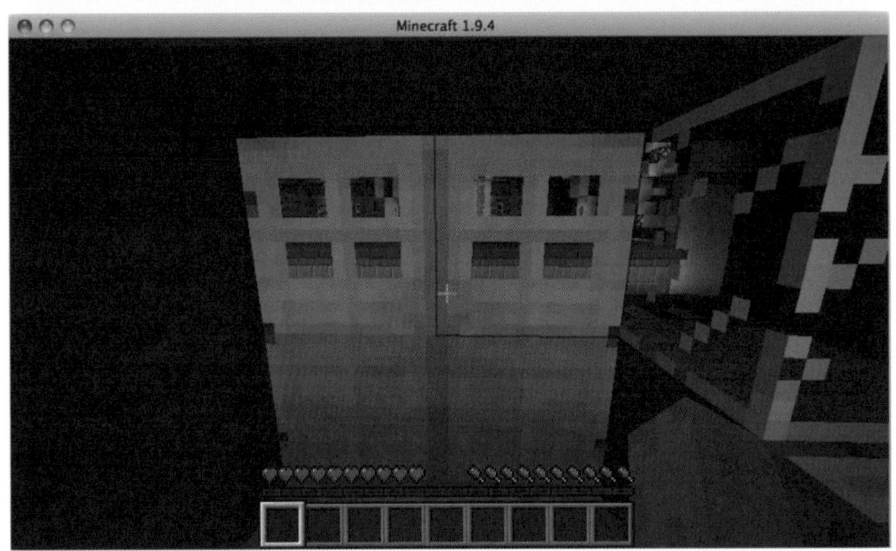

큐브크래프트는 탐험할 곳이 많습니다.

큐브크래프트 메인 홀입니다.

큐브크래프트에는 여러 채널이 있으므로 현재 있는 게임 속에서 채팅할 수도 있고, 특정 채널을 선택해 서버 전체에서 채팅할 수도 있습니다.

그러나 서버 관리자가 규칙을 따르지 않는 플레이어를 차단하고 있으니 주의를 기울여야 합니다. 또한 큐브크래프트는 무료지만 어떤 플러그인은 온라인에서 구매해야 합니다.
www.cubecraft.net을 방문해 자세한 내용을 알아보세요. 서버 ID: play.cubecraftgames.net

큐브빌 Cubeville

큐브빌은 다양한 영역이 있는 세계이므로 누구나 재미있는 것을 찾을 수 있습니다. 여러분은 벽에 큰 지도가 있는 큰 중심 도시에 스폰됩니다. 지도를 이리저리 확인해 볼 수는 없지만 세계가 얼마나 큰지 알 수 있습니다. 들어가면 튜토리얼부터 받아 보세요. 튜토리얼 보는 시간을 아끼지 마세요.
전 세계 곳곳에 작은 마을과 정착촌이 있으며 스카이웨이를 통해 방문할 수 있습니다. 스카이웨이는 맵 바깥쪽 끝까지 갈 수 있는 운송 체계입니다. 스카이웨이에 올라타서 어디로 가는지 확인해 보세요.
큐브빌에는 화폐를 주고받는 경제 시장이 있습니다. 퀘스트로 돈을 벌거나 상점에서 쓸 수 있습니다. 그리고 세계의 한구석에 자기만의 자리를 마련할 준비가 되었다면 토지 소유권을 써 보세요. 소유권에는 상자 보호 기능도 있으니 잠시 들러서 무기를 내려놓고 쉴 수 있습니다.
로그인하려면 가입할 필요 없이 그냥 마인크래프트 클라이언트에 cubeville.org를 입력하면 됩니다. 서버는 매우 친근한 분위기이며, 모더레이터들은 플레이어들이 마음껏 즐길 수 있도록 열심히 도와줍니다.

큐브빌에 없는 것

- PvP
- 욕설
- 나이 제한

큐브빌에 있는 것

- 친절한 모더레이터
- 플레이 감시
- 기본 무료 소모품
- 밤에도 몬스터가 스폰되지 않는 대도시의 안전지대

팁

어둠을 무서워하는 사람도 있을 겁니다. 멀티플레이 모드에서는 잠자기가 없고, 밤에는 몬스터가 스폰되기도 합니다. 그러니 몹을 피하고 싶다면 조명이 밝은 대도시에서 밤을 보내는 것이 좋습니다. 해가 뜰 때까지 기다리면서 접속 중인 다른 사람들을 만날 수 있는 안전한 곳입니다.

주의 사항

큐브빌은 무료지만 서버 운영에 필요한 돈을 기부하는 플레이어에게 특별 장식을 줍니다. 한 번 기부한 사람은 이름 옆에 달러 기호가 표시되고 꾸준히 기부하는 사람에게는 머리에 블록을 씌워 줍니다.
단, 서버는 기부자에게 게임과 관련된 그 어떤 혜택도 보상할 수 없습니다. www.cubebille.org를 방문해 자세한 내용을 알아보세요. 서버 ID: cubebille.org

커스텀 서버 Custom Server

자신의 도메인을 가지고 싶다면 마인크래프트에서 해 보세요. 서버 설정하는 것이 쉽고 무료로 할 수 있습니다. 엔진(게임을 제작하는 데 필요한 툴)은 자신만의 마인크래프트 서버를 만드는 데 비용을 내지 않고도 어느 정도 커스터마이징할 수 있는 사이트 가운데 하나입니다. 서버가 재미있고 사용료를 매달 지불할 능력이 있다면, 게임플레이를 더 흥미롭게 만들고 사이트를 쉽게 관리할 수 있는 기능을 추가할 수 있습니다.

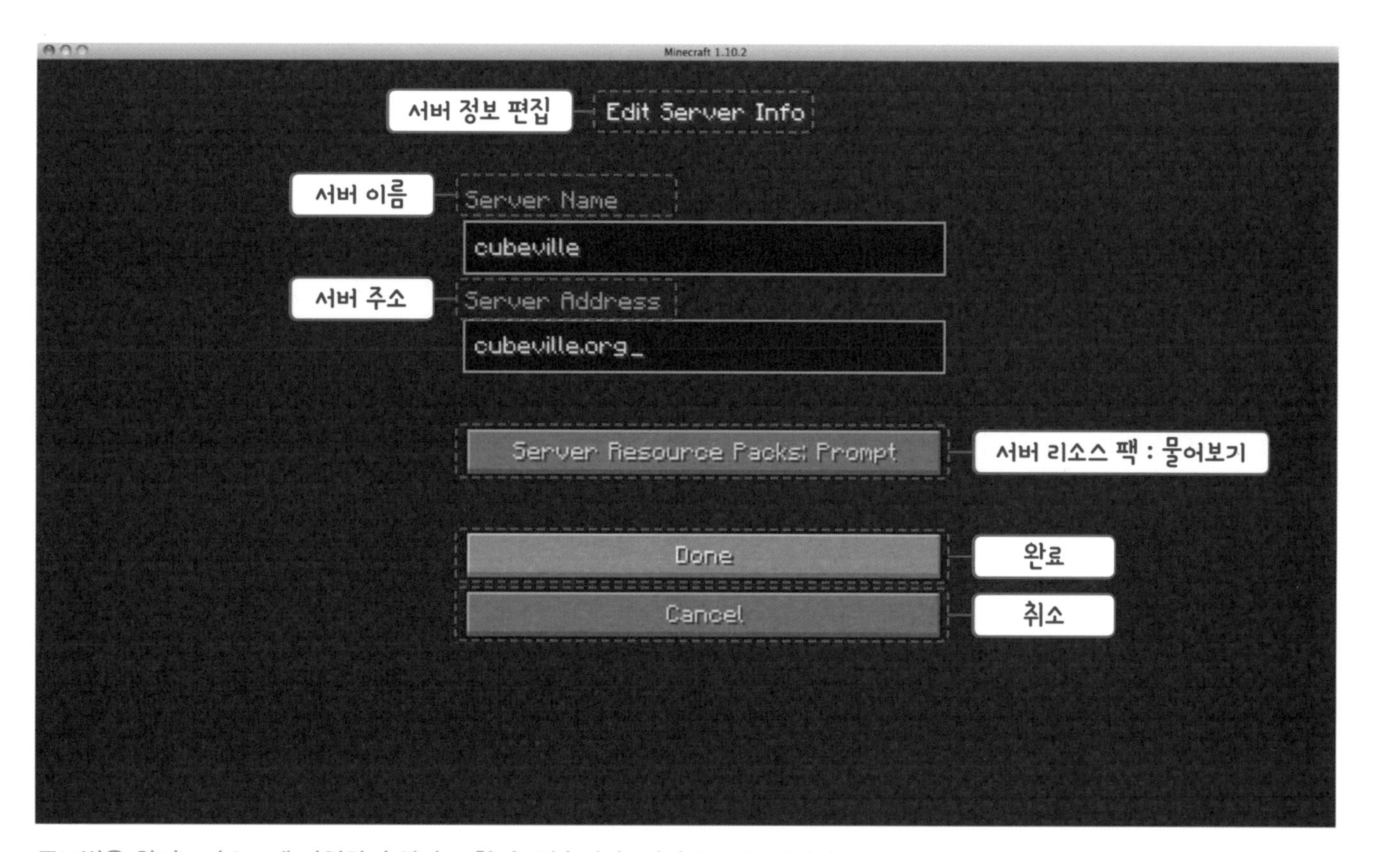

큐브빌은 화이트리스트에 가입하지 않아도 할 수 있습니다. 서버 주소를 입력하고 로그인해서 시작하면 됩니다.

네트워크에 가입하면 다음과 같은 혜택을 받을 수 있습니다.

- 필요한 플러그인을 쉽게 다운로드하고 연결할 수 있습니다.
- 음성 채팅, 문자 채팅 등의 기능을 추가할 수 있습니다.
- 여러분의 사이트가 서버에서 바로 홍보됩니다.
- 사이트 운영을 도와줄 플레이어나 모더레이터를 찾는 광고를 할 수 있습니다.
- 제대로 작동되지 않을 경우 도움말 티켓을 써서 지원을 받을 수 있습니다.
- 대부분 호스트는 소셜 미디어 채널에서 광고하는 데 도움을 줄 것입니다. 만약 SNS 팔로워가 많다면 엄청난 도움이 됩니다.

사이클론 네트워크 Cyclone network

사이클론 네트워크는 인기 있는 서버인 만큼 게임을 하는 동안 수십 명의 플레이어가 늘 온라인에 있을 것입니다. 사이클론은 게임, 서버, 그리고 오피감옥(OPPrison), 감옥, 파벌, 스카이블록, 스카이워즈 같은 미니 게임을 제공합니다.

www.cyclonenetwork.org를 방문해 자세한 내용을 알아보세요. 서버 ID: MC.cyclonenw.org

이 배너는 서버 목록 사이트에서 사이클론 네트워크에 얼마나 많은 플레이어가 있는지 늘 알려 줍니다.

감옥 게임에서는 경비원 지시를 따르거나 타임아웃(게임이나 경기에서 진행자나 심판의 허락을 구한 뒤 잠시 멈추는 일)을 해야 합니다.

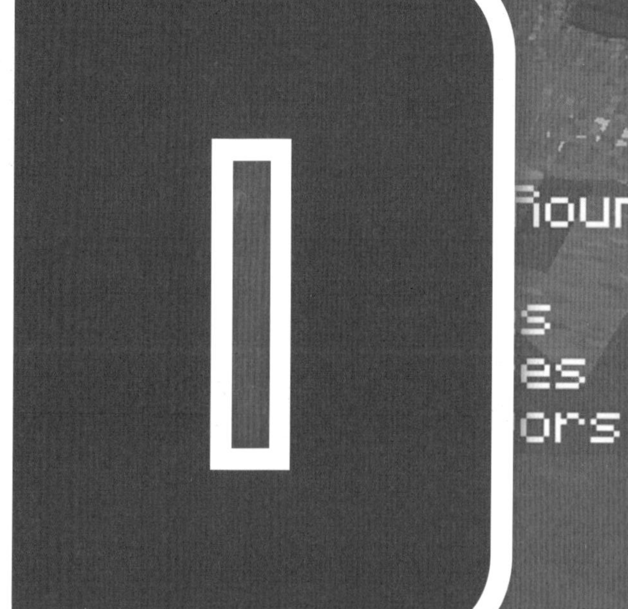
D
ound III 00:46
53
s 24
es 10
ors 7
d became a

방어 Defense

마인크래프트 멀티플레이 서버에는 세 가지 유형의 방어가 있습니다. 능동, 수동, 하이브리드입니다. 능동 방어는 집이나 기지에 대한 위협을 직접 파괴하는 것입니다. 능동 방어에는 몹과 적 플레이어를 대비해 발사기 함정을 설치하거나 기지 주변에 TNT 지뢰밭을 설치하고, 기지 위에 TNT 대포를 설치하는 것 등이 있습니다. 수동 방어는 드러나지 않는 위협이 실제로 나타나기 전 미리 막는 조치입니다. 몹이나 다른 플레이어에게 위협이 되지는 않지만 공격당하는 속도를 늦출 수 있습니다. 수동 방어에는 거미줄, 블록 벽으로 된 미로, 기지를 둘러싼 물 해자가 포함됩니다. 하이브리드 방어는 능동과 수동 방어를 더하는 것입니다. 여기에는 미로 벽을 쌓고 벽 뒤에 용암을 놓아서 벽을 부수려고 하는 위협적인 존재를 파괴하는 방법, 기지 주변으로 용암 해자를 둘러서 방어하는 방법, 기지 주변이나 내부에 선인장 식물을 설치하는 방법 등이 있습니다.

아기 좀비처럼 적대적인 몹과 마주하게 되면 방어 계획이 필요합니다. 능동, 수동, 하이브리드 방식의 방어는 오랫동안 생존하는 데 도움을 줍니다.

E

경제 활동 Economy

경제 활동 서버, 즉 경제 활동 기능이 있는 서버에는 플레이어가 작업을 수행하거나 상품을 판매해 돈을 벌 수 있는 시스템이 갖추어져 있습니다. 돈으로 노동력을 구하고 큰 건물을 짓거나, 음식, 희귀 재료를 사거나, 다른 사람이 만든 무기나 도구 같은 제품을 살 수도 있습니다.

큐브크래프트는 노동 경제 활동을 제공하는 사이트 가운데 하나입니다. 튜토리얼을 진행하면서 표지판에 있는 모든 세부 사항을 배워 보세요.

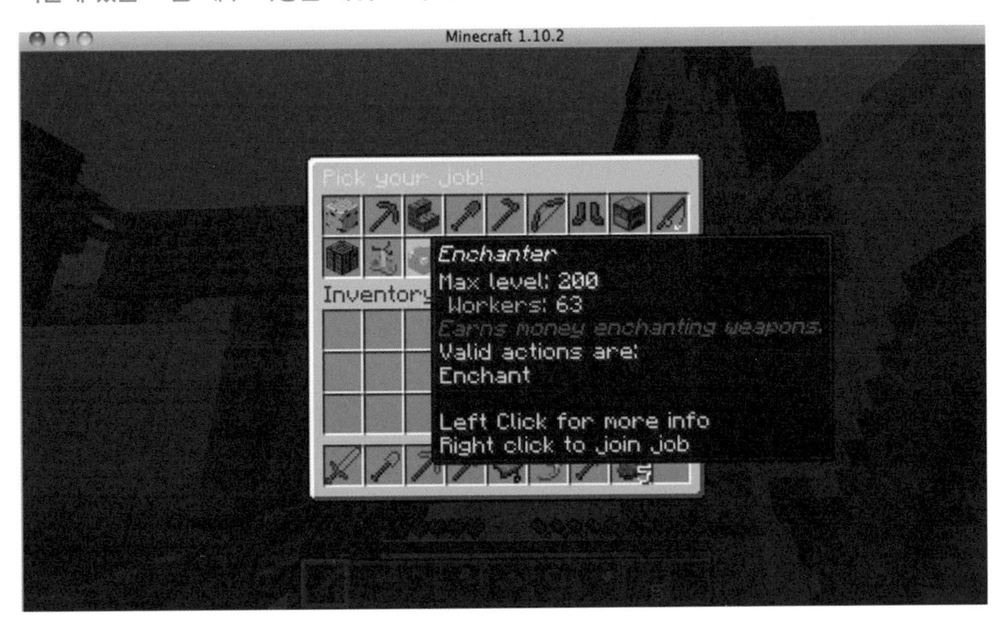

랜치 앤 크래프트는 경제 활동 기능이 있는 서버입니다.

팜크래프트 Famcraft 역시 체험하기 좋은 경제 활동 서버 가운데 하나입니다. 여기서는 돈을 벌고, 아이템과 일꾼을 사고 팔며, 가격을 협상할 수 있습니다. 한마디로 소꿉놀이, 가게 놀이, 또는 사업가 놀이입니다. 어떤 경제 활동 서버에서는 일자리를 구하거나, 아이템을 만들어 팔거나, 채굴하도록 합니다. 혹은 작업을 마친 뒤 돈을 벌어 온갖 종류의 특전을 얻도록 권유합니다.

이 수익을 이용해 다른 플레이어로부터 아이템을 구입하거나, 서버의 신들로부터 더 많은 땅, 초능력, 제한된 게임이나 지역에 입장할 수 있는 자격 등 추가 항목을 얻습니다. 마치 어른이 된 것처럼 느껴지지만 훨씬 더 재미있습니다.

팜크래프트 서버에서 작동하는 경제 활동의 예.

엔진닷컴 Enjin.com

엔진은 여러분만의 마인크래프트 서버를 쉽게 만들 수 있게 해 주는 호스팅 회사입니다. 소셜 게임 네트워크를 설정하고 친구를 모으고 그 밖의 여러 일을 하는 데에 필요한 도구, 플러그인, 정보를 제공합니다. 엔진은 마인플렉스, AWNW, 포터월드 같은 인기 있는 마인크래프트 서버를 호스팅합니다. Enjin.com 웹사이트를 방문해 엔진 서버 목록을 인기도 순서대로 확인해 보세요.

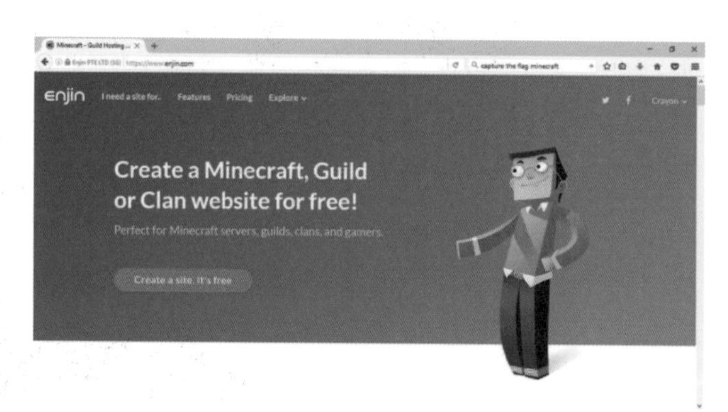

여러분의 게임 생활을 한 단계 끌어올리고 자신의 서버를 운영할 수 있게 해 주는 옵션이 많습니다.

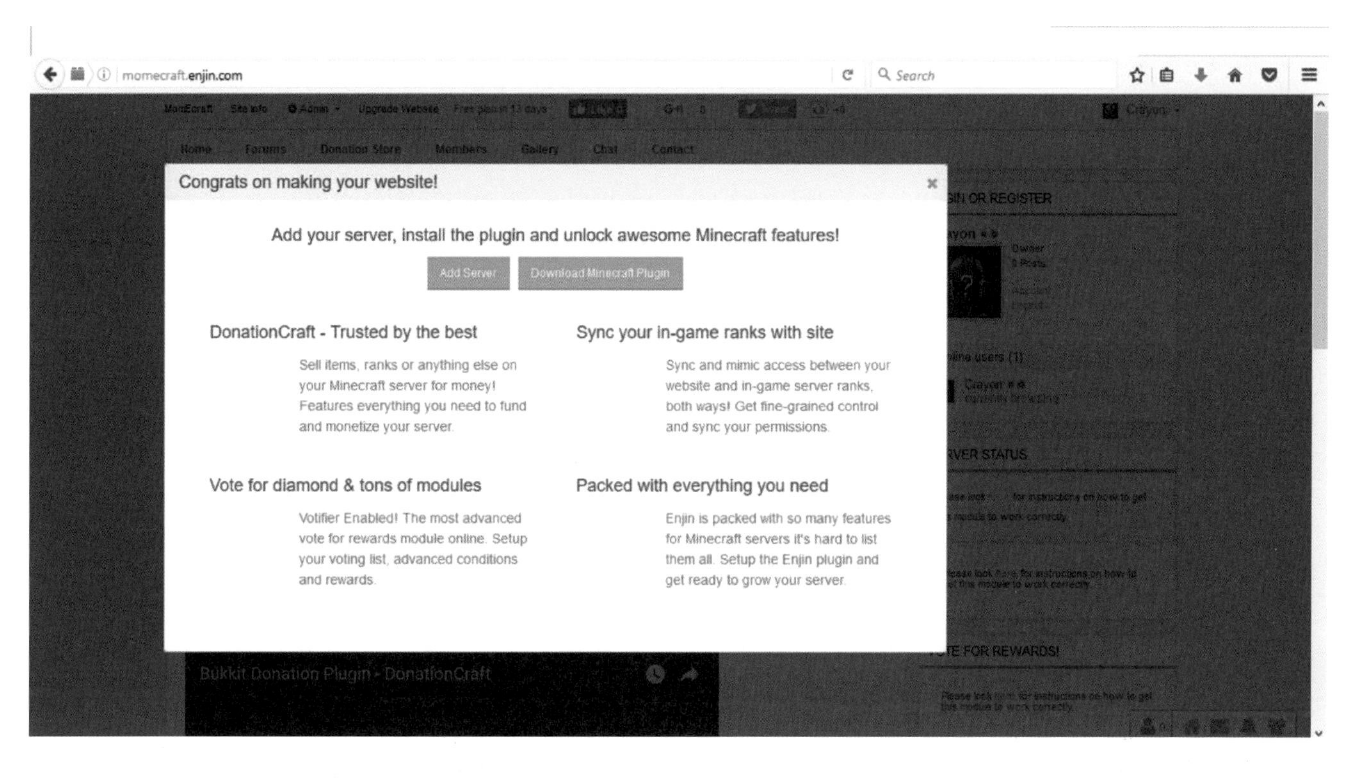

서버를 키우고 발전시키는 여러 방법이 있습니다.

ESRB(Entertainment Software Rating Board 오락 소프트웨어 등급)

ESRB는 게임 등급 분류 심사를 하는 비영리 단체입니다.
마인크래프트는 약간의 폭력과 판타지적 요소 때문에 10세 이상이 플레이할 수 있는 E10+등급을 받은 게임입니다. 그러나 이 등급은 싱글플레이어 모드에만 적용됩니다. 일단 다른 플레이어와 상호작용을 시작하는 온라인 상호작용의 경우 ESRB 등급이 매겨지지 않았습니다. 마인크래프트는 ESRB 데이터베이스에 퍼즐 어드벤처 게임으로 등록되어 있으며 다음과 같은 활동을 할 수 있습니다. 플레이어가 픽셀화된 지형을 채굴하여 정육면체 블록들을 수확하고, 오픈 월드 환경에서 플레이하며, 무기를 만들고, 몬스터로부터 자신을 방어합니다.
다이너마이트를 사용해 공격적인 몹을 물리치고, 자원을 얻으려고 땅을 채굴합니다.

이볼브HQ EvolveHQ

이볼브HQ는 마인크래프트 플레이어뿐만 아니라 모든 PC 게이머를 위한 소셜 네트워크 및 협업 도구 세트입니다. 이볼브HQ 회원은 PC에 설치된 앱으로 온라인 게임에 쉽게 연결하고 조정하며 플레이할 수 있습니다. 이볼브HQ는 게임 속에서 쓸 수 있는 채팅 및 음성 통신 도구, 가상 LAN, 마인크래프트와 같은 멀티플레이 게임을 위한 매치메이커, 화면 및 동영상 캡처, 동영상 스트리밍 도구를 모두 하나의 앱에서 제공합니다. 이볼브HQ만 있으면 친구들과 마인크래프트를 플레이할 수 있을 뿐만 아니라, 여러분이 좋아하는 마인크래프트 유튜버처럼 될 수 있습니다. 비디오 캡처를 실행해 놀라운 건물과 대담한 좀비 전투 장면을 녹화해 영상으로 만들어 보세요.

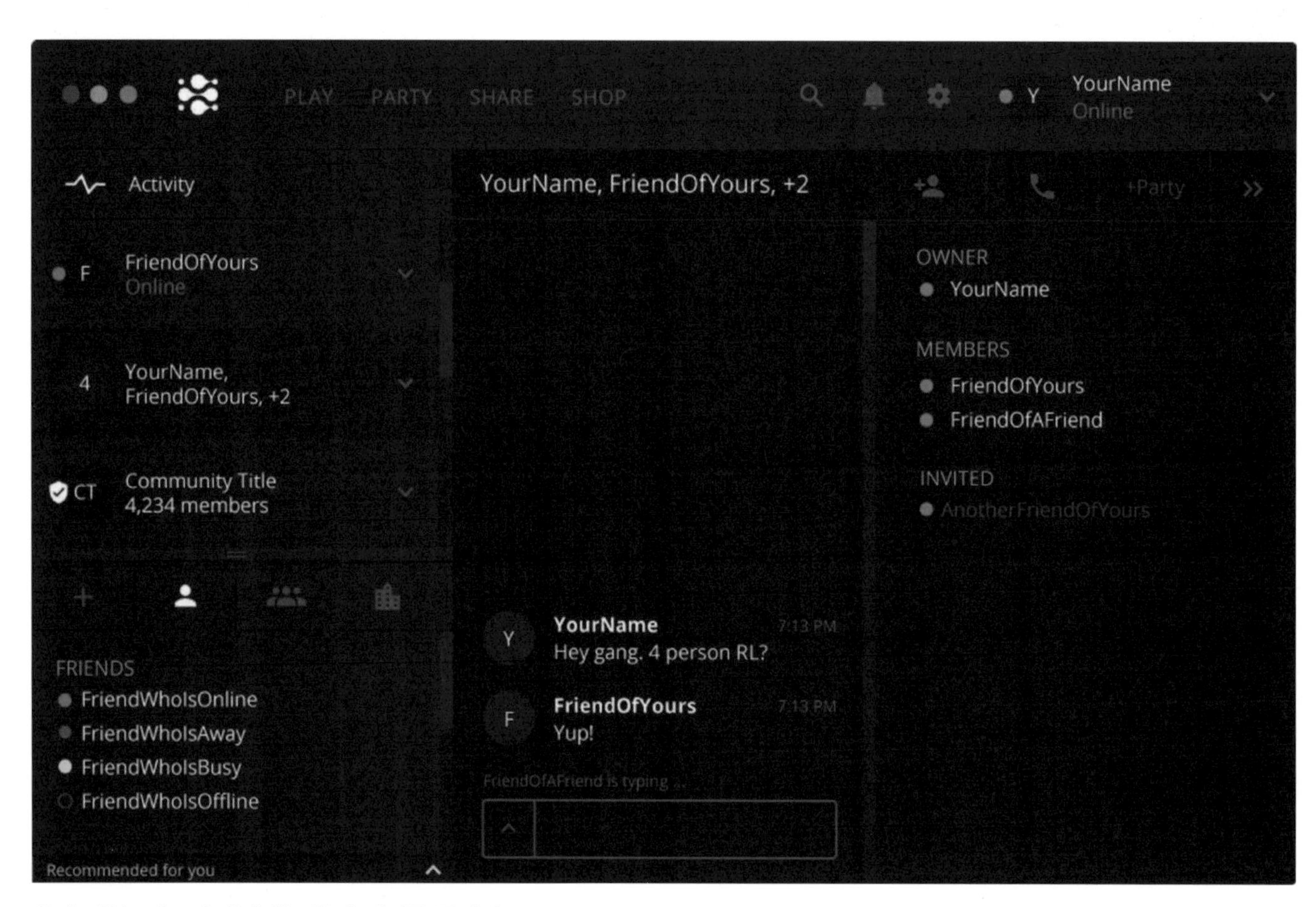

우리 지역 또는 전 세계 친구들과 파티를 즐기세요.

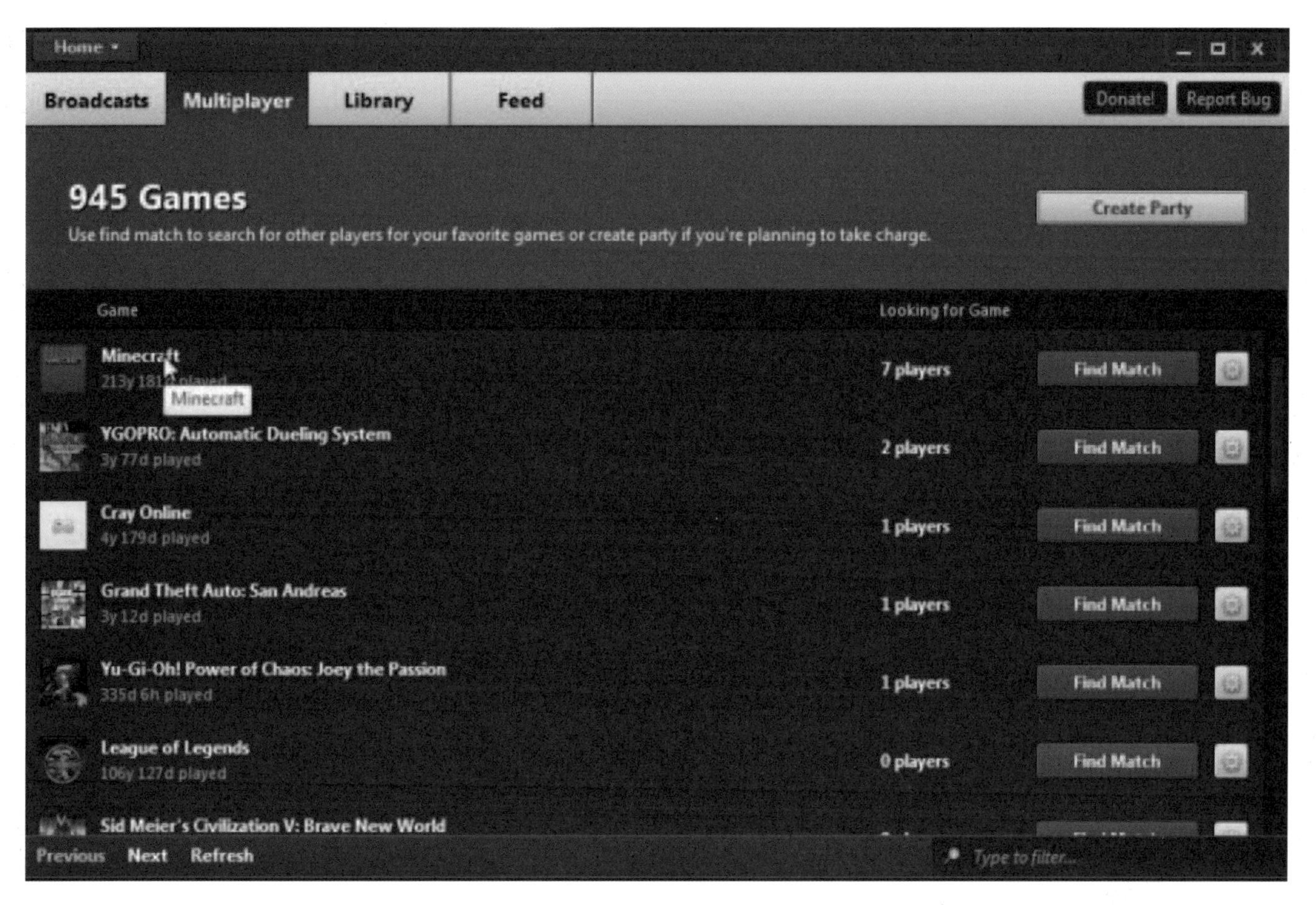

이제 혼자 놀지 마세요. 이볼브의 매치메이커는 친구의 온라인 상태를 알려 주고 멀티플레이 게임을 위한 파티를 여는 데 도움을 줍니다.

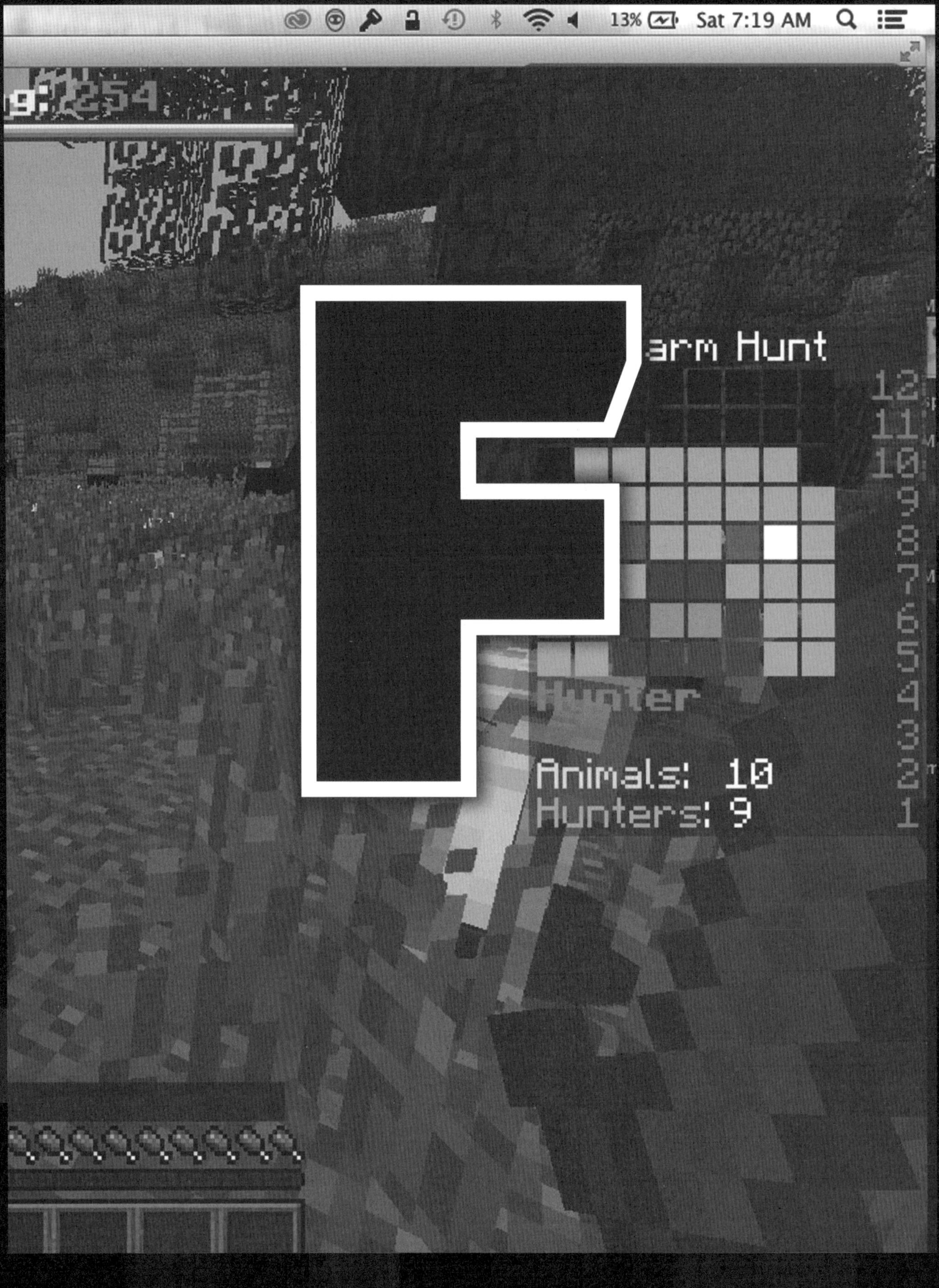

F

13% Sat 7:19 AM

arm Hunt

Animals: 10
Hunters: 9

파벌 Faction

파벌(목적에 따라 갈라진 사람들 무리)은 PvP 게임의 하나로 웅장한 전장으로 이루어져 있습니다. 여기에서 플레이어는 파벌과 길드를 만들어 영토를 가지고, 동맹을 맺고, 적에게 전쟁을 선포할 수 있습니다.

우버마인크래프트 Uberminecraft와 길드크래프트 GuildCraft가 가장 인기 있는 양대 파벌 서버입니다.

마인크래프트 파벌 서버에서는 친구와 팀을 이루거나 이미 진행되고 있는 파벌에 들어갈 수 있습니다.

선택할 수 있는 맵이 많이 있습니다. 각 맵에서 서로 다른 파벌 게임을 경험할 수 있습니다.

불로 가득 찬 사용자 제작 파벌 맵은 끝을 볼 수 있는 파벌 게임을 위한 완벽한 경기장입니다.

폴아웃 애틀랜타 Fallout Atlanta

폴아웃 애틀랜타에서 핵 종말 이후 버려진 땅에 들어가 살아남는 생존 기술을 사용해 보세요.
거대한 황무지에서 어슬렁거리는 구울(인간을 잡아먹는 괴물)과 방사능에 맞서며 자신의 운을 시험할 수 있습니다. 빈 건물을 탐색하고, 피난처를 탐험하고, 퀘스트들을 완료해야 합니다. 파벌 게임에 참여한 뒤 자원을 놓고 싸우는 팀전을 할 수도 있습니다.

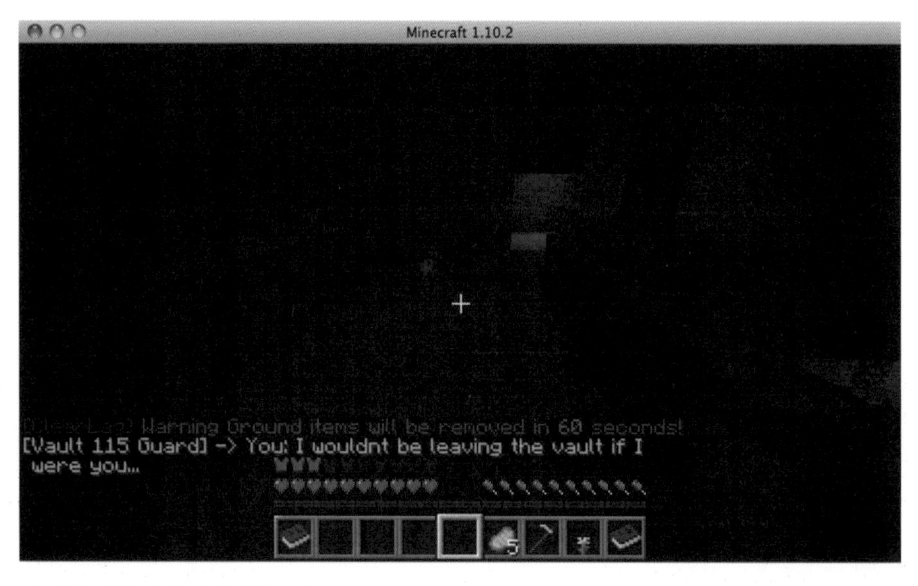

폴아웃 애틀랜타에서 감옥 퀘스트를 시작하고 경비병이 지시하는 대로 횃불을 따라가세요.

팜크래프트 Famcraft

팜크래프트는 끊임없이 게임을 즐기면서 돈을 벌고 가격을 흥정할 수 있는 무료 서버입니다. 직업을 선택해서 게임 속 돈인 '팜코인 Famcoin'을 벌고 땅을 소유하는 재미가 있습니다. 그 중에서도 가장 흥미로운 지역은 카니발 carnival입니다. PvP 게임, 미로, 그 밖의 놀이 기구를 제공하는 스포츠 경기장입니다.

팜크래프트는 개발된 지 몇 년이 흘렀지만 여전히 온라인에서 플레이어를 볼 수 있는 커뮤니티입니다. 그러나 모든 서버가 다 그렇지는 않습니다. 여러분이 유일한 플레이어인 유령 서버에 들어갈 수도 있습니다. 예전에는 오픈 서버였지만 이제는 화이트리스트가 생겼습니다. 물론 이 상태는 언제든 바뀔 수 있으므로, 어느 시점에 갑자기 화이트리스트에 가입하지 않고도 로그인할 수 있게 될 것입니다.

팁

로그인하자마자 규칙을 읽으세요. 모더레이터가 가이드 투어를 안내해 줄 것입니다. 명령어 /warp tour 입력하면 스스로 가이드 투어를 할 수 있습니다. 날아다니면서 모든 규칙과 표지판을 확인해 보세요. 투어에서 배워야 할 가장 중요한 정보는 황야로 나가서 게임을 시작하는 방법입니다.

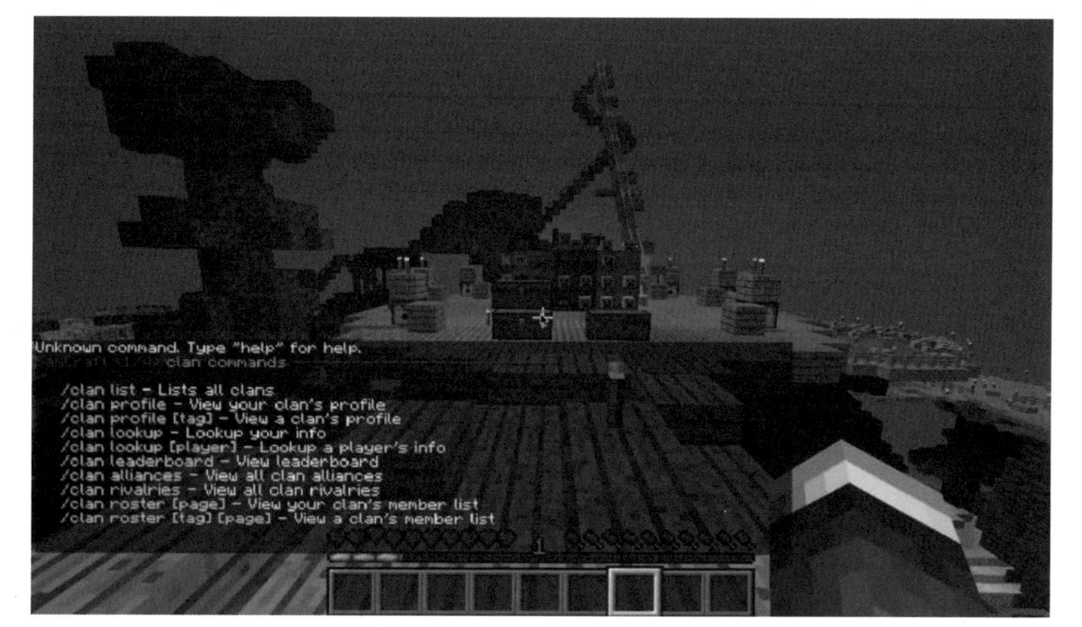

팜크래프트에서는 클랜(같은 게임을 즐기는 사람들 모임)에 가입할 수 있습니다.
어떤 명령어를 사용해야 할지 또는 다음에 무엇을 해야 할지 잘 모르겠다면 /help를 입력해 보세요.

팜크래프트에서는 비가 오나 눈이 오나 날씨에 상관없이 크고 밝고 아름다운 세계를 탐험할 수 있습니다.

특전을 제공하는 서버

팜크래프트에는 서버마다 커뮤니티 느낌을 다르게 해 주는 몇 가지 추가 기능이 있습니다. 예를 들어, 프로젝트에 함께 참여할 수 있는 클랜이 많이 있으며, 서버에서 큰 도움을 준 플레이어에 대한 감사함을 담아 거대한 동상을 세우는 곳도 많습니다. 서버 직원이 정기적으로 음악을 방송하기도 하는데, 이것도 게임을 더욱 재미있게 만들어 줍니다. 심지어 환상적인 공간에서 댄스파티도 열립니다.

- 맷 도일(Matt Doyle), Brightpips.com

완전히 새로운 도전을 하고 싶다면, FTB(Feed the Beast) 모드 팩으로 로그인할 수도 있습니다.
팜크래프트 웹사이트에 따르면 기계와 힘, 마법, 우주여행, 양봉과 나무 키우기 등 상상할 수 있는 거의 모든 것을 할 수 있는 모드가 있습니다. 팜크래프트는 게임의 한계를 넘어 무한한 가능성을 보여 줍니다.

팁

FTB 서버를 방문하는 경우 166개의 모드를 로드해야 합니다. 시간이 걸리므로 인내심을 가지세요. 기다릴 가치가 있습니다.

어떤 게임을 하든 팜크래프트 직원은 인내심을 갖고 도움을 주며, 모든 사람이 서버를 최대한 활용할 수 있도록 도와줍니다.
www.famcraft.com을 방문해 자세한 내용을 알아보세요.

FTB 서버는 ID ftb.famcraft.com로 로그인하고(프라이빗 팩 코드: 'famcraft'가 필요함.)
바닐라 서바이벌 서버는 survival.famcraft.com로 로그인합니다.

팜크래프트 생존 맵.

FTB (Feed the Beast 짐승에게 먹이 주기)

FTB는 서버 및 클라이언트 모드 모음으로 맵, 도전 과제, 그리고 이를 해결하는 도구를 제공합니다. 이 모드는 맵, 테마, 마법, 그 밖의 모드를 제공하는 다양한 리소스 팩을 모은 것입니다. 기본적으로는 먹이를 주는 짐승, 여러분이 있는 환경, 그리고 FTB 게임의 목표를 이루기 위해 극복해야 하는 도전 과제를 바꾸는 것입니다. FTB는 팜크래프트를 비롯한 다양한 서버에서 제공됩니다.

플레이하기 위해서는 참가하려는 사이트를 방문하고 지침에 따라 해당 사이트의 FTB 런처를 모두 다운로드해야 합니다. 각 서버마다 서로 다른 맞춤형 FTB 모드 팩을 제공하기 때문에 FTB 웹사이트로 이동할 필요가 없습니다. 서버에서 필요로 하는 경우에만 팩을 다운로드하되, 컴퓨터에 다운로드하기 전에는 반드시 어른에게 물어봐야 합니다.

FTB 모드로 더 많은 게임플레이 옵션을 추가해 보세요.

농장 사냥 Farm Hunt

농장 사냥은 숨바꼭질 미니 게임으로 사냥꾼과 동물 사이에 벌어지는 굉장한 대결입니다. 사냥꾼으로 게임에 참가한다면, 마인크래프트 속 동물처럼 변신한 다른 플레이어를 찾아야 합니다.

실제 동물인지 변장한 적인지 알 수 있는 방법은 움직임입니다. 동물들이 움직이고 달린다면, 그들을 공격해야 합니다. 반대로 동물로 게임에 참가한다면, 사냥꾼에게 들키지 않도록 잘 숨어야 합니다. 가장 오랫동안 들키지 않는 사람이 승리합니다.

화면 속에서 이 돼지가 진짜 돼지로 보이지만, 만약 달리기 시작한다면 사냥에 나서야 합니다.

농장 사냥에서는 그저 늑대처럼 보여도 정말 늑대가 맞는지 아닌지를 판단해야 합니다. 그들은 변장한 적일 수 있으니까요.

G
18

게임 Games

멀티플레이어 모드는 마인크래프트 모험을 게임화(게임으로 만드는)할 수 있는 기회를 제공합니다. 같은 팀 다른 플레이어와 함께 플레이하거나, 팀을 구성하는 파벌 게임 또는 모든 플레이어가 각자 싸우는 PvP 모드로 대결할 수 있습니다. 아케이드 스타일(오락실 같은 곳에서 하는 게임들) 게임은 플레이하는 시간이 가장 적습니다. 미니 게임은 시간이 조금 더 걸리는데, 몇 가지 인기 있는 게임으로는 깃발 뺏기, 탈옥(Prison Break), 파벌이 있습니다.
마인크래프트의 장점은 언제든지 게임할 수 있는 서버가 있다는 것입니다. 미로 게임 같은 게임은 몇 분밖에 걸리지 않지만, 깃발 뺏기 같은 게임은 5분에서 15분 정도의 시간제한이 있습니다. 또한 픽셀몬처럼 몇 달에서 몇 년이 걸릴 만큼 규모가 큰 스토리라인을 가진 게임도 있습니다.

그레이리스트 Greylist

그레이리스트는 지정 플레이어만 서버에 접속하게 할 수 있는 **화이트리스트**를 기반으로 만든 것입니다. 그레이리스트에 없더라도 서버에 접속할 수 있지만 몇 가지 필수적인 일, 예를 들어 건물을 짓거나 채팅하는 것은 허용되지 않습니다. 그레이리스트에 포함되지 않은 플레이어에게 주어지는 권한은 서버마다 다릅니다. 하지만 서버에 대한 모든 접속 권한을 가지며 채팅을 할 수 있는 플레이어는 그레이리스트에 있는 사람뿐입니다. 그레이리스트의 장점은 플레이어가 미리 서버를 살펴본 다음에 가입이나 전체 접속 권한 신청을 결정할 수 있다는 것입니다. 그레이리스트는 서버 소프트웨어의 기본 부분이 아니므로 플러그인으로 구현해야 합니다.

그리핑 보호 Grief Protection

어떤 사이트는 다른 플레이어의 건물을 부수다 들킨 플레이어를 자동으로 강제 퇴장, 차단 또는 경고하는 그리핑 보호 모드가 설치되어 있습니다. 거의 모든 서버에서 그리핑이 금지되지만, 금지하는 것만으로는 그리핑을 막을 수 없습니다. 다른 사람의 게임을 파괴하려는 나쁜 플레이어는 항상 있으니까요. 다행히 어떤 서버는 그리핑 차단 모드를 설치해서 플레이어가 특정 지역에 건축·파괴하는 것을 못하게 만듭니다. 또한 플레이어가 일으킨 모든 변경 사항을 자동으로 추적해서, 그리핑이 발생했을 때 되돌릴 수 있습니다. 대부분의 서버는 이 두 가지 기능을 모두 갖고 있습니다. 관리자는 **월드가드** 같은 플러그인으로 지역에 제한을 두고 플롯 플러그인으로 플레이어에게 개인 영역의 몫을 나눌 수 있습니다. 그리고 데이터베이스에 모든 블록 변경 사항을 저장하는 플러그인을 설정할 수 있습니다.
그렇게 하면 서버에서 변경 사항을 조회해 누가 건물을 파괴했는지 쉽게 확인하고, 변경 사항을 되돌리고, 그리핑한 플레이어를 차단할 수 있습니다.

그리퍼 Griefer

그리퍼는 멀티플레이어 모드에서 일부러 다른 사람의 물건을 파괴하는 사람을 말합니다.

그리핑 Griefing

그리핑은 다른 사람이 만든 것을 파괴하는 모든 행동을 말합니다. 금방 되돌릴 수 있어 사실상 농담에 지나지 않을 정도로 피해가 적을 수도 있지만 다른 플레이어가 공들여 쌓아 올린 노력을 파괴할 만큼 해로울 수도 있습니다. 일반적인 그리핑은 블록을 부수거나, 원하지 않는 블록을 쌓거나, 건물을 무너뜨리거나 폭파함으로써 다른 사람의 건축물을 의도적으로 파괴하는 행동을 말합니다. 넓은 의미에서는 도둑질이나 도발도 그리핑에 포함됩니다.

사이트마다 그리핑 정책이 다릅니다. 다른 플레이어가 여러분의 물건을 망치는 것을 원하지 않는다면, 서버 정책을 미리 확인해 그리핑을 어떻게 처리하는지 살펴야 합니다. 어떤 서버는 모든 형태의 그리핑을 자동으로 막기 위해 그리핑 보호 플러그인을 활성화해 놓습니다. 당연히 거의 모든 서버에서 그리핑이 금지되며 그리퍼는 해당 서버에서 영원히 쫓겨납니다.

팁

다른 플레이어가 여러분의 집에 그리핑하는 것을 방지하는 영리한 방법이 있습니다. 근처에 미끼 집을 만들고 스스로 그리핑하는 것이 있습니다. 집 안이나 캠프 안에 빈 상자를 남겨 두어 미끼처럼 사용하는 것입니다. 그리핑하려는 플레이어한테 이미 도둑질 당한 것처럼 보이도록 속이는 방법입니다.

누군가의 집에 용암이 흘러넘치게 하는 것 역시 그리핑입니다.

서버 관리자들은 그리핑을 심각한 문제로 취급합니다.

코어프로텍트 CoreProtect라는 플러그인은 블록 단위로 추적을 해서 누가 언제 어떻게 테러를 했는지 알려 줍니다. 누군가 그리핑을 했거나, 여러분의 아이템을 훔쳤거나, 엑스레이를 썼는지 등을 추적하고 손실을 복구할 수 있습니다. 로그블록 Log Block이나 프리즘 Prism 같은 플러그인도 코어프로텍트와 비슷한 기능을 가지고 있습니다.

-지미 태신(Jimmy Tassin), 옴니크래프트 창립자

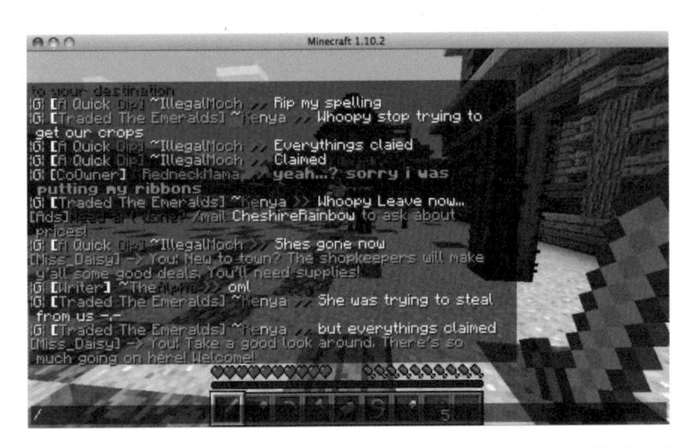

괴롭히는 사람이 있으면 게임 속 IRC 채팅을 통해 신고할 수 있습니다. 랜치 앤 크래프트에서 플레이어 케냐가 우피에게 그리핑을 당하고 있었습니다. 케냐는 우피에게 작물을 훔치는 것은 서버에서 하면 안 되는 행동임을 알렸습니다.

그리핑 예

- 건물이나 농장 등을 망가뜨릴 만큼 많은 양의 용암이나 물을 붓는 행위
- 표지판을 치우거나 마음대로 표지판을 수정하는 행위
- 상자나 문을 잠가서 아이템을 사용하지 못하게 하는 행위
- 플레이어가 건축한 무언가를 파괴하거나 마음대로 다시 건축하는 행위
- 농장 동물을 죽이거나 파괴하는 행위
- 적대적인 몹을 플레이어의 영토로 끌고 와서 플레이어를 죽이거나 플레이어의 아이템을 파괴하는 행위
- 명백히 다른 플레이어의 소유물을 훔치는 행위
- 해킹이나 비행 또는 광석 탐지와 같은 불법 모드를 사용해 부당하게 이득을 얻는 행위
- PvP 전투에 동의하지 않은 다른 플레이어를 고의로 해치는 행위뿐만 아니라 덫 사용, 머리 위에 모래 놓기, 물이나 용암에 빠트리기, 몹을 유인하여 죽이는 행위
- 가짜 계정을 사용하여 다른 플레이어를 사칭하거나 광고를 올리는 행위

H

해킹 Hacks

해킹은 플레이어의 게임을 불법으로 방해하는 행동입니다. 몇 가지 예를 들면, 플레이어의 이동 속도나 플레이 속도를 마음대로 높이고, 모더레이터가 서버에 접근하지 못하게 하며, 몰래 숨거나 날면서 멀티플레이 세상을 헤집어 놓습니다. 또한 투명 인간처럼, 보이지 않는 상태로 게임 환경을 자유자재로 움직입니다. 해킹은 그리핑이나 마찬가지입니다. 해킹이 의심된다면 모더레이터에게 보고하세요. 좋은 모더레이터는 해킹을 한 플레이어에게 경고를 하고 차단시킵니다.

하이브 Hive
(2021년 4월, 자바 에디션 서버 종료)

하이브는 창의적이고 별난 땅입니다. 재미와 모험으로 가득 찬 이곳에서 포켓펫 PocketPet을 입양하거나 허브 햇 Hub Hat을 쓰고 탈것을 타 보세요. 하이브는 여러 가지 독특한 게임플레이 옵션을 제공하는 인기 있는 서버입니다. 실험실도 있는데, 12명의 플레이어로 구성된 팀에 합류해 마을 과학자 주크 박사가 나누어 주는 실험을 하게 됩니다. 세 개의 실험은 랜덤으로 구성되는 게임입니다. 플레이한 내용에 따라 지역 화폐인 애텀 Atoms을 보상받기도 합니다. 가장 많은 애텀을 가진 팀에 속한 모든 플레이어는 마법 수정을 얻습니다.

미니 게임이 내키지 않는다면 생존 게임에 가 보세요. 여기는 최대 3명의 플레이어와 팀을 이룰 수 있으며, 여러 가지 독특한 맵들 가운데 24인용 생존 게임을 즐길 수 있습니다. 대부분의 생존 게임처럼 처음에는 아무것도 갖고 있지 않은 상태에서 스폰되며 목표는 마지막까지 생존하는 것 뿐입니다. 무기와 음식이 들어 있는 보급 상자를 찾고, 동맹을 만들고, 모

하이브에서 메뉴 바 왼쪽 아래에 있는 나침반을 선택한 다음 마우스 오른쪽 버튼을 클릭하면 플레이하려는 게임을 선택할 수 있습니다.

든 방법을 동원해 생존해 보세요. 파티에 들어가고 싶다면 하이브 블록 파티 Hive Block Party에 가 보세요. 여기에서는 음악이 멈추면 의자에 앉는 의자 뺏기 게임, 그대로 멈춰라, 트위스터 Twister를 섞은 놀이를 할 수 있습니다. 음악이 시작되면 다른 플레이어와 함께 댄스 플로어에서 점프하고 춤을 춥니다.

이때 꼭대기의 막대를 주의해서 봐야 합니다. 막대에 색상이 나오면 가장 가까운 곳에 있는 해당 색상 블록으로 가서 그 위에 서야 합니다. 타이머가 울릴 때 막대에 나온 색 블록 위에 서 있지 않은 사람은 플로어에서 떨어집니다.

그 외에도 마인빌의 사건(Trouble in Mineville), 히로빈(The Herobrine), 숨바꼭질(Hide and Seek), 스플레그 Splegg, 카우보이와 인디언(Cowboys and Indians) 등 신나는 게임들이 있습니다. 하이브MC를 방문했다면 플레이하기 전 동영상을 보고 규칙을 배워야 합니다. 하이브에는 100명 이상의 모더레이터로 구성된 팀이 있어 채팅이 늘 가족적인 분위기며, 처음 온 사람을 정중하게 환영합니다. 무료로 플레이할 수 있지만, 사이트에서 제공하는 프리미엄 멤버십 패스를 구입하면 추가 혜택을 줍니다. 행운의 상자, 펫, 탈것, 프리미엄 아이템, 스탯 재설정, 초기 게임 점수를 삭제하기 같은 것 말이죠. https://forum.hivemc.com을 방문해 자세한 내용을 알아보세요.

명예 규칙 Honor Rules

대부분 서버에서 규칙을 어기면 차단되거나 쫓겨나지만, 명예 규칙은 위반해도 처벌받지 않습니다. 엄밀히 말하면 명예 때문에 치팅이 쉽게 발생하기도 하지만 옳은 일을 하는 것이 곧 명예입니다. 믿을 수 있는 친구들과 명예 규칙에 따라 게임을 하는 것이 도움이 됩니다.

헝거 게임 Hunger Games

생존 게임을 참조하세요.

하이픽셀 Hypixel

하이픽셀은 미니 게임을 중심으로 만들어진 서버입니다. 게임을 하고 퍼즐 푸는 것을 좋아한다면 하이픽셀이 잘 어울립니다. 네트워크에서 가장 인기 있는 게임은 빌드 배틀 Build Battle, 스카이워즈 Skywars, 블리츠 Blitz 생존 게임, 월스 Walls, 그리고 특별한 파쿠르 맵입니다. 월스에서는 보관함이 빈 채로 지도에 떨어지며 전투 전까지 준비할 시간이 15분밖에 없습니다. 여러분과 상대방 사이에는 벽이 우뚝 솟아 있기 때문에 적들이 어떻게 방어하고 공격할지 미리 볼 수 없습니다. 벽이 낮아지면 생존을 위한 PvP 전투가 시작됩니다.

하이픽셀은 놀랍도록 멋지고 독특하게 디자인된 맵으로 유명합니다. 마인크래프트 모험 맵을 만드는 유튜브 채널로 시작해, 현재는 세계에서 가장 큰 마인크래프트 서버 네트워크 중 하나가 되었습니다.
하이픽셀은 치터(남을 속이는 사람)를 차단하는 기술이 상당히 앞서 있습니다. 그러니 게임 규칙을 엄격하게 지켜야 합니다. 특히 플레이어의 데이터를 조사해 해커로 의심되는 사람을 탐지하는 파수견(Watchdog)이라는 정교한 탐지 시스템이 있습니다.
https://hypixel.net을 방문해 이 서버에 대해서 자세히 알아보세요. 서버 ID: hypixel.net

하이픽셀이 제공하는 미니게임 중에는 키트를 선택해서 생존하는 키트PvP 게임도 있습니다.

하이픽셀처럼 붐비는 서버에서는 간단한 레이싱 게임도 재미있습니다. 함께 플레이할 상대를 언제든 찾을 수 있으니까요!

y using our
agic portals
hat teleport
you.

open chat
type /spa
to go to th
world's spawn

There's a
portal back
at each
spawn.

e color code

비활성 Inactivity

어떤 호스트는 오랜 기간 접속하지 않은 플레이어를 추방시켜 버립니다. 보통은 서버 공지 사항에 미리 글을 올리므로, 가입할 때 참고하는 것이 좋습니다. 큐브빌 같은 일부 서버는 기지에 '부재중'이라는 표지판을 남겨 두고 휴면 포럼에 미리 글을 올리면 추방당하지 않습니다.

인터크래프텐 Intercraften (2022년 2월 기준, 서버 종료)

여러분 인생에서 가장 멋진 추억을 남겨 준 어른을 떠올려 보면, 몇몇은 캠프 지도자(camp counselor, 어린이 캠프 교관)를 생각할 것입니다. 인터크래프텐은 멋진 캠프 지도자가 설립했으며, 화이트리스트에 있는 플레이어 그룹에게만 세계를 열어 큰 성공을 거두었습니다. 지금 현재 이 서버는 몇 년이 지났지만 계속해서 큰 인기를 얻고 있습니다. 따라서 여러분이 사는 시간대나 로그인한 시간에 상관없이 다른 사람들과 함께 플레이할 수 있는 좋은 서버입니다. 도전 과제, 미니 게임, 살펴볼 만한 여러 세계, 돈 버는 직업 시스템이 있습니다.

이 서버는 모더레이터들이 필터와 그리핑당한 건축물을 고칠 수 있는 그리핑 복구 기능으로 엄격하게 관리하고 있습니다. www.intercraften.org에서 화이트리스트 가입을 신청해 보세요. www.intercraften.org/map을 방문하면 시간마다 업데이트되는 라이브 서버 맵을 볼 수 있습니다.

서버 ID: 184.95.34.125:25565

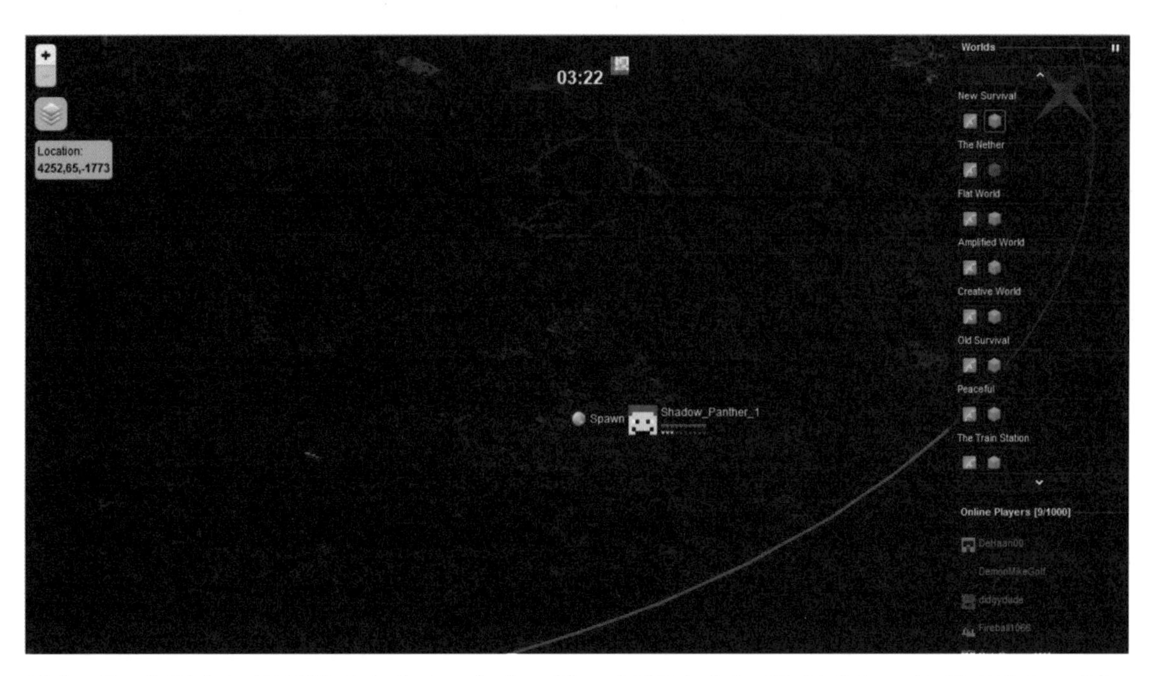

인터크래프텐 웹사이트를 방문해서 라이브 맵 및 그 밖의 게임플레이에 대한 업데이트 정보를 확인해 보세요.

블로거 팁: 메뉴 북을 사용하세요!

/spawn, /sethome, /home 같은 일반적인 서버 명령어를 사용하는 것 외에도, 사용자 친화적인 인터크래프텐만의 메뉴 북Intercraften Menu Book(가입 시 무료 제공)에서 작업 선택, 명령어 수행, 미니 게임 플레이에 관한 명령어를 참고할 수 있습니다.
-맷 도일(Matt Doyle), Brightpips.com

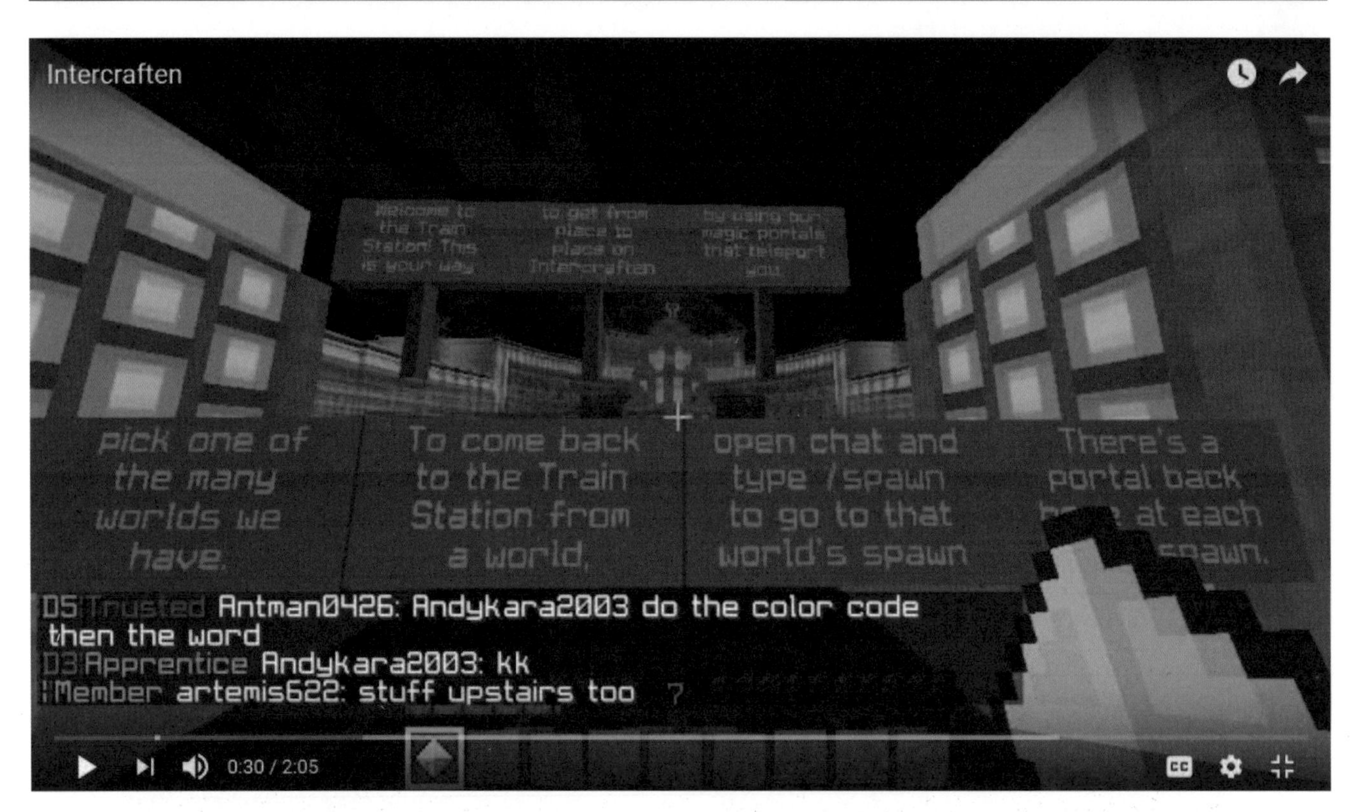

인터크래프텐 서버에서는 직업(어부나 나무꾼 등)을 선택할 수 있고, 상점에서 아이템을 살 수 있습니다. 이 사이트에는 원하는 곳으로 순간 이동할 수 있는 마법 차원문 기능도 있습니다.

IRC(Internet Relay Chat 인터넷 중계 채팅)

멀티플레이어 모드는 T를 입력하면 게임을 플레이하는 동안 채팅할 수 있습니다. 그러나 게임 바깥에 있는 서버에 접속해 친구와 만날 장소를 정하거나, 숙련된 플레이어로부터 도움을 받거나, 마인크래프트 위키에 답변된 질문이 있는지 확인하거나, 이야기를 나누고 싶다면, IRC 채팅 소프트웨어를 다운로드해 보세요. 공식 마인크래프트 특정 채널을 방문해 채팅할 수 있습니다. 물론 각 채널마다 따라야 하는 규칙이 있습니다. 소프트웨어를 다운로드하기 전에 부모님 허락도 받아야 합니다. 그리고 채팅할 때는 다른 사람이나 낯선 사람에게 개인 정보를 알려 주어서는 안 됩니다.

먼저 다음 두 가지 기본 채널에서 시작해 보세요.

- #Minecraft - 게임 제작자 노치 Notch가 만든 오리지널 채널입니다. 하루에 500~600명의 사용자가 들어옵니다. 규칙을 위반하지 않으면 마인크래프트에 관한 질문은 물론 그 밖의 다른 이야기에 대해서도 대화를 나눌 수 있습니다.
- #Minecrafthelp - 지원을 요청하거나 버그를 보고하는 등 도움을 받을 수 있는 채널입니다.

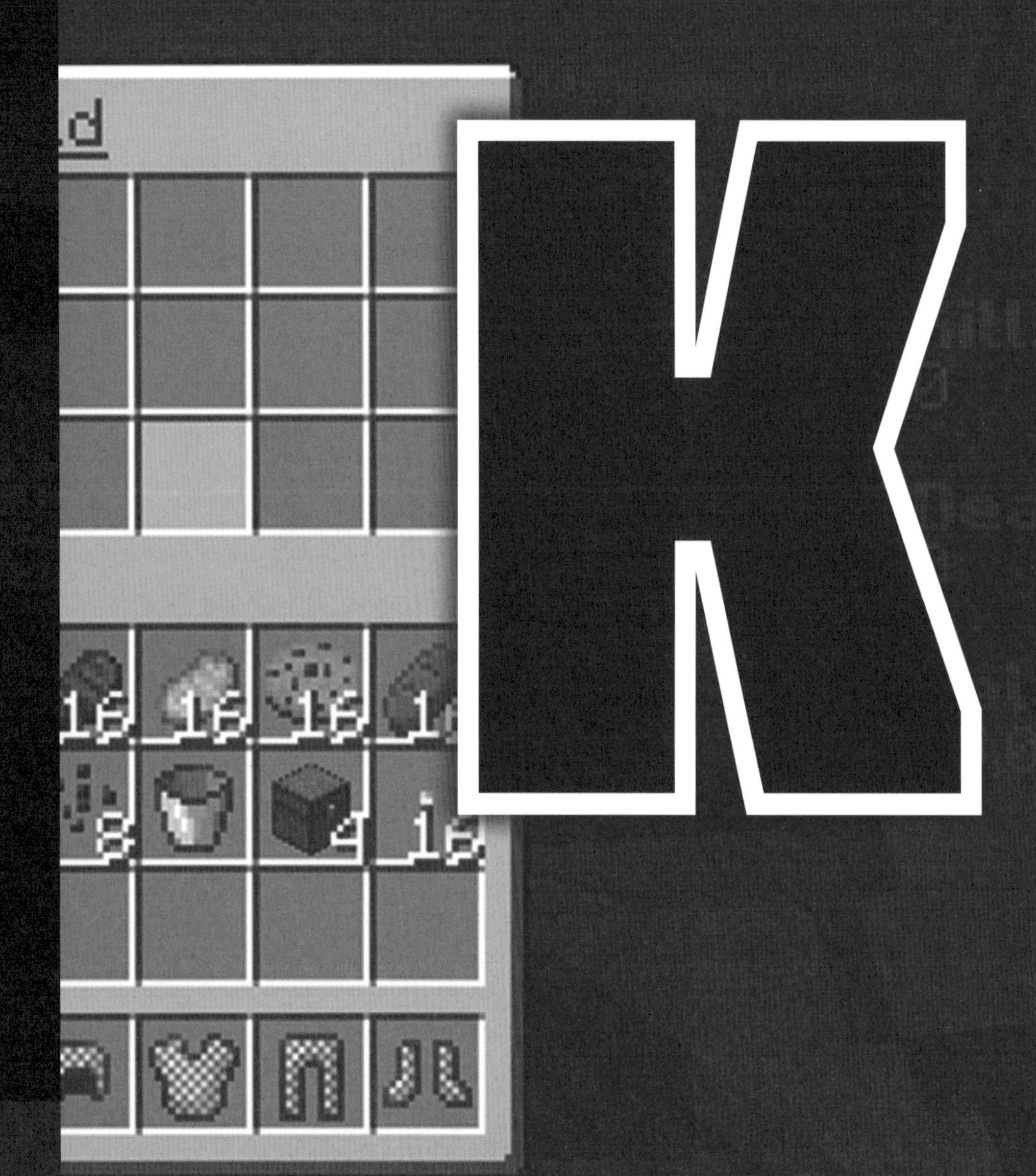
K

키트PvP KitPvP

키트PvP 게임에서는 미리 설정된 키트 하나를 선택합니다. 각 키트마다 서로 다른 아이템 세트가 있습니다. 선택한 키트를 가지고 전투에 참여해 상대 플레이어와 싸우고 점수, 명성, 업적을 얻을 수 있습니다.
하이픽셀은 키트 게임을 할 수 있는 서버 가운데 하나입니다. 그 중 스카이워즈는 플레이어나 팀으로 섬에 스폰되며 마지막까지 생존하는 게임입니다. 플레이어를 죽일 때마다 보상으로 영혼을 받는데, 영혼을 사용해 키트와 특전을 열어서 게임 경험치를 높일 수 있습니다. 하이픽셀 역시 UHC 키트PvP 게임이 있는데, 여기서 UHC는 '울트라 하드코어 Ultra Hardcore' 모드를 뜻합니다. 빠르게 이뤄지는 전투 속에서 체력을 회복하려면 황금 사과와 양조기로 만든 물약이 반드시 있어야 합니다.

위의 그림은 PvP 파벌 게임에서 선택할 수 있는 키트 중 하나입니다.

L

Death

ASFJerome

CraftBattle

TBNRfrags

Vikkstar12

랙 Lag

게임 속 캐릭터가 제자리에 멈춰 있거나 입력에 제대로 응답하지 않는 것을 랙 또는 래깅이라고 합니다. 서버가 과부화되면 때때로 플레이를 하는 도중에 랙, 즉 버벅거리는 현상이 나타납니다. 이럴 때는 대응하기가 매우 곤란한데, 타이밍이 좋지 않으면 랙으로 인해 플레이어의 캐릭터가 희생될 수도 있습니다. WTFast나, 옵티파인 Optifine, 그 밖의 도움이 되는 모드를 다운로드 받을 수 있지만, 덜 혼잡한 서버를 찾는 것이 좋을 때도 있습니다.

랜 LAN

랜(LAN, Local Area Network)은 같은 서버를 통해 인터넷으로 연결된 컴퓨터와 장치들을 말합니다. 일반적으로 홈 네트워크, 학교, 아파트 건물, 이웃, 사무실, 도서관 등에서도 LAN을 사용합니다. LAN을 통해 같은 네트워크 안에 있는 다른 사람들과 멀티플레이 게임을 사용할 수 있습니다.

싱글플레이 세계를 홈 네트워크에 있는 다른 플레이어에게 알려 주고 싶다면 채팅창에 /publish를 입력하거나 게임 메뉴로 이동하여 'LAN으로 열기'를 클릭해 보세요. 게임 모드를 선택하고 기타 옵션을 선택하면 됩니다. 모든 설정이 완료되면 플레이어가 게임에 접속하는 데 사용할 수 있는 IP가 포함된 메시지가 표시됩니다. '호스트 이름: 98765에서 호스팅되는 로컬 게임'과 같은 메시지입니다.

이제 여러분의 친구들은 팝업 링크를 통해 같은 게임 서버에 연결할 수 있습니다. 더 쉬운 방법을 사용하려면 멀티플레이 메뉴를 열고 'LAN 세계'를 검색하면 됩니다. 이때 모든 플레이어는 고유 계정으로 연결해야 합니다. 두 플레이어가 동일한 계정을 사용하거나 사용자 이름을 똑같이 써서 연결할 수는 없습니다.

포트 포워딩

LAN이라고 할 수 없는 경우는 라우터(인터넷 네트워킹 장비로 바깥이나 안에 있는 네트워크를 연결시키는 장치)에서 포트 포워딩을 설정할 때입니다. 포트 포워딩이란 컴퓨터에서 특정 통신 포트를 열어 통신이 연결되도록 하는 것입니다. 포트 포워딩을 하면 친구나 가족이 여러분의 IP와 포트를 입력해 직접 연결할 수 있습니다. IP와 포트는 123.45.67.89:43787 같은 식으로 표기됩니다.

라우터에서 포트 포워딩을 설정하거나 게임 바깥에서 홈 네트워크 설정을 변경할 때는 항상 어른이나 부모님 허락을 미리 받아야 합니다.

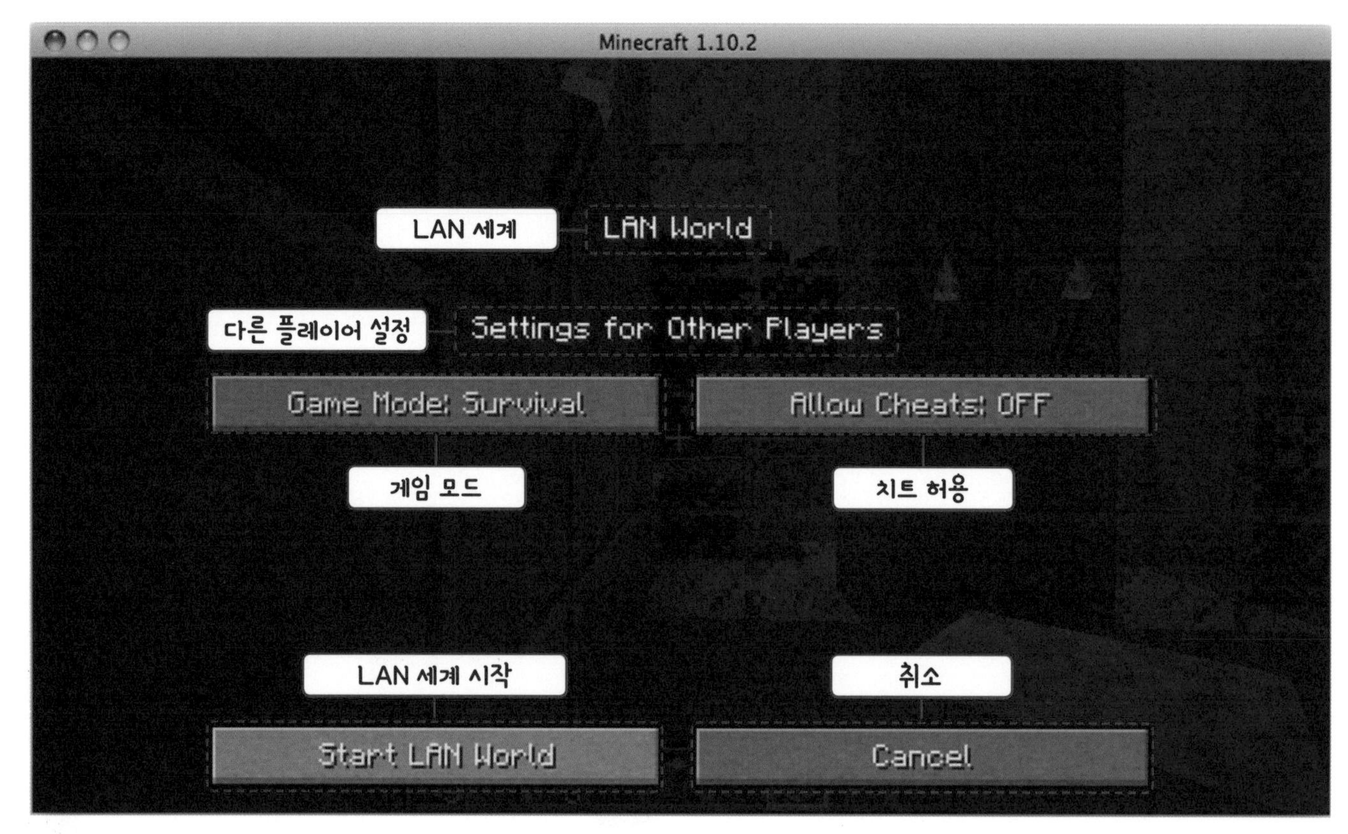

설정을 선택한 뒤 홈 네트워크에서 LAN으로 게임을 만듭니다.

땅 보호 LAN Protection

소유권을 참조하세요.

착륙 지역 Landing Zones

마인크래프트 초보자는 착륙 지역에 스폰되었을 때 보통 서버를 충분히 익힐 수 있는 시간이 주어집니다. 그 시간 동안 게임을 시작하는 데 필요한 표지판과 지침, 그리고 튜토리얼을 익히면 됩니다. 튜토리얼은 누구에게 질문을 해야 하는지, 또는 언제 그리퍼를 신고해야 하는지 등을 배우는 데 도움이 될 것입니다.

잠금 보호 Lock Protection

마인크래프트에는 두 종류의 잠금 보호 플러그인, 라이트웨이트 체스트(LWC)와 레지던스가 있습니다. 블록 자체와 보관함 안의 아이템, 용광로, 발사기 등을 보호해 주고, 다른 블록을 보호해 주기도 하며 문, 표지판 및 다락문(트랩도어)이 기본적으로 보호됩니다. 어떤 서버에는 LWC, 레지던스 혹은 다른 잠금 시스템이 활성화되어 있어서 그리핑과 도난으로부터 집과 보관함을 보호할 수 있습니다.

서바이벌 구역에 들어가기 전, 중요한 아이템은 안전한 장소에 보관하세요.

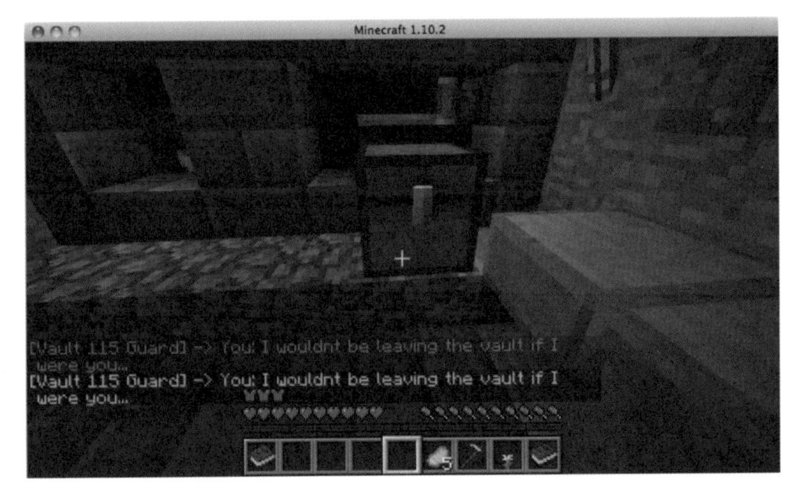

감옥 세계와 그 밖의 PvP 서버에는 잠겨 있는 상자가 있으며 특정 플레이어만 안에 있는 물건에 접근할 수 있습니다.

럭키 블록 Lucky Block

럭키 블록은 랜덤 박스 모드입니다. 럭키 블록은 부술 수 있으며, 다른 마인크래프트 블록과는 다르게 부술 경우 가치 있는 아이템이 나올 수도 있고, 함정이 나오기도 해서 플레이어를 죽이거나 위험한 몹이 몇 마리 나타나기도 합니다. 무한한 가능성이 있으며 새로운 유형의 럭키 블록을 생성하는 애드온도 많습니다.

럭키 블록으로 행운을 시험해 보세요!

: 16
PARTY GAMES 1
14
13
12
11
mer: 8
10
: 7
9
k: 4
8
7
6
5
4
3
2
www.hypixel.net
1
vated piston

MC볼 MCBall

페인트볼 전용 서버인 MC볼은 게임이 시작되기 전, 선택할 수 있는 무료 키트를 제공합니다.
이 키트는 다른 플레이어보다 유리하게 사용할 수 있는 특별한 능력이나 아이템을 줍니다. 키트에는 특수 총, 방어 도구나 게임플레이를 유리하게 해 주는 어드밴티지가 들어 있습니다.
거미처럼 벽을 오르고 사람들을 거미줄에 가둘 수 있는 어드밴티지도 있습니다.
게임 맵을 만드는 데 능숙하거나 페인트볼 경기장에 대한 기발한 아이디어가 있다면 MC볼에 맵을 제출해 보세요. 맵이 선정되면 공식 경기장이 될 수 있습니다.

게임에서 승리했을 때 얻을 수 있는 것에 대해 알아보겠습니다. MC볼 게임은 캐릭터가 사망한 횟수와 여러분이 다른 플레이어의 캐릭터를 사망시킨 횟수를 확인해 이를 비율로 변환합니다. 이 숫자는 여러분의 역량이 얼마나 쌓여 가는지 보여 줍니다. 처음에는 투구 없이 시작하지만 점수에 따라 가죽, 철, 금, 다이아몬드, 또는 사슬 투구를 얻게 됩니다. 토너먼트에서 승리하면 마법 투구를 얻고 환상적인 기술을 뽐낼 수 있습니다. MC볼 게임은 30분 동안 진행됩니다. 시간 여유가 있다면 로그인해서 기량을 뽐내 보십시오.
http://MCball.net을 방문해 자세한 내용을 알아보세요. 서버 ID: play.mcball.net

MC볼의 페인트볼 게임.

MC매직 MCMagic
(2022년 2월 기준, 서버 종료)

디즈니월드 팬들이 무척 좋아할 만한 서버입니다. MMO 마인크래프트 서버는 수천 명의 자원봉사·출연진, 입장객 등 50만 명이 다녀간 플로리다주 올랜도에 있는 디즈니월드 리조트와 협력해 디즈니월드를 MC매직에 그대로 구현해냈습니다. 디즈니월드 테마파크와 똑같은 환경을 서버에서 볼 수 있습니다. 몇 가지 흥미로운 부분들을 소개하겠습니다. MC매직에는 온 가족이 즐길 수 있는 짜릿한 놀이 기구가 많습니다. MC매직파크 MCMagic Parks에는 4개의 테마파크, 2개의 워터 파크, 그리고 여러분의 환상을 현실로 만들어 주는 멋진 리조트를 탐험할 수 있습니다. 게다가, 전 세계에서 온 새로운 친구들과 만나고 놀 수 있습니다.

실제로 디즈니월드에 있는 놀이 기구가 서버에 그대로 구현되어 있고 모두 무료로 이용할 수 있습니다. 음악이 흘러나오는 놀이 기구부터 특수 효과가 들어간 애니매트로닉스(사람이나 동물을 실제와 가깝게 만든 로봇)도 있습니다. 놀이 기구를 탈 때마나 새롭고 멋진 경험을 할 수 있으니, 집중해서 살펴보세요. 여러분이 무엇을 발견할지 모르니까요.

이곳은 실제 디즈니월드에 있는 것과 똑같은 경험을 할 수 있습니다. 거리에서 파티를 즐길 수 있고 멋진 장면도 볼 수 있습니다. 화려한 불꽃놀이를 즐기고 좋아하는 디즈니 캐릭터와 함께하는 모습을 캡쳐해 둘 수 있지요. 불꽃놀이는 날마다 여러 번 진행되므로 언제 참여하든 적어도 한 번은 볼 수 있습니다. 그리고 공원 곳곳에서 MC매직 캐릭터를 찾을 수 있습니다. 그들을 모두 만나서 사인을 모아 보세요. 사인북은 보관함에 있습니다.

공원에서는 거의 날마다 판타지 퍼레이드가 열리며, 여러분이 좋아하는 디즈니 캐릭터가 탄 화려한 꽃수레와 실제 미국 메인 거리에 등장하는 다채로운 의상을 입은 출연자들이 나옵니다. 또한 인기 있는 캐릭터가 등장하는 라이브 쇼도 즐길 수 있습니다. 안나와 엘사가 들려주는 노래, 인디아나 존스에 나오는 화려한 스턴트, 스티치의 마법 왕국 대탈출도 볼 수 있지요.

실제 디즈니월드에 가기 어렵다면 MC매직에 나오는 가상 디즈니월드를 집 안 컴퓨터에서 경험해 보는 것도 좋은 방법입니다.

https://palace.network를 방문해 자세한 내용을 알아보세요. 서버 ID: mcmagic.us

디즈니 팬을 위한 신비한 놀이동산

- MC매직은 출시된 지 10년이 넘었습니다. 대부분의 다른 서버보다 오래된 것입니다. 2011년부터 100만 명 이상의 유저가 MC매직을 즐겼습니다.
- MC매직 파크는 3년 연속 최대 규모의 테마파크 서버라는 기록을 보유하고 있습니다. 2015년, 2016년, 2017년 기네스북 세계 기록 게임 에디션에 등재되었습니다.
- 가입하면 매직 밴드, 사인북 등을 무료로 받을 수 있습니다.
- 모든 어린이가 쇼, 불꽃놀이 등을 즐길 수 있도록 안내하는 글과 오디오가 있습니다.

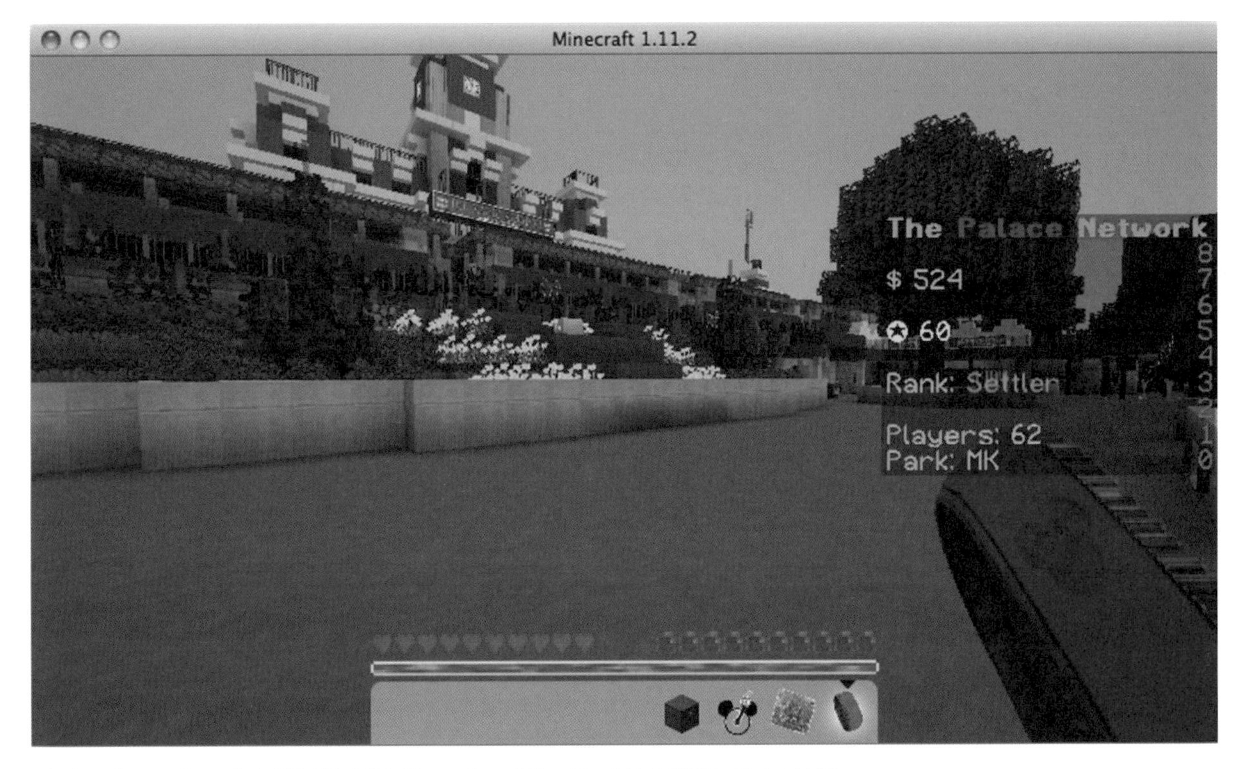

마인크래프트에서 가장 행복한 곳인 월트 디즈니월드로 가상 여행을 떠나 보세요.

낮 시간이 10분밖에 안 되기 때문에, 디즈니월드의 밤을 오래 기다릴 필요가 없습니다!

앱콧 Epcot은 MC매직에서 만날 수 있는 유명 랜드마크 가운데 하나입니다.

MC매직은 꽤 붐비지만 항상 좋은 경관을 볼 수 있습니다.

McMMO(Minecraft Massively Multi-player Online)

McMMO는 마인크래프트의 오픈 소스 플러그인으로 바닐라 세계를 게임할 수 있는 세계로 바꿔 주는 버킷 플러그인입니다. McMMO는 핵심 게임 구조를 확장해 롤플레잉 게임(RPG) 모드를 추가했습니다. 스킬을 배우고 레벨업할 수 있는 기능이 있으며, 경쟁, 레벨업, 업적 달성을 위한 재미있는 옵션을 제공합니다. 많은 서버에서 McMMO 플러그인을 추가하고 커스터마이징해서 자신만의 고유한 경험을 만들어 냅니다.

MC 서리얼크래프트 MC Surrealcraft

MC 서리얼크래프트는 파벌과 키트PvP에 중점을 둔 서버입니다. 공식적으로 약탈이 가능한 장르입니다. 하지만 관리자가 게임 외에 나쁜 행동을 하는 플레이어를 차단하고 화이트리스트를 사용하므로 안전한 환경 속에서 전략을 세우고, 약탈하거나 경쟁하며 플레이를 즐길 수 있습니다.

MC 서리얼크래프트의 독특한 점은 세계 자체가 작다는 것입니다. 제작자들은 압축된 세계가 경쟁을 더 치열하고 흥미진진하게 만든다고 생각했고 많은 플레이어가 이에 공감하고 있습니다. 보관함 보호가 없으므로 소지품과 기지를 보호하려면 영리하게 행동해야 합니다. 이 서버는 McMMO를 실행하여 RPG 스타일의 레벨 스탯을 제공합니다.

http://mcsurrealcraft.com/home을 방문해 자세한 내용을 알아보고 화이트리스트를 신청해 보세요.

서버 ID:Play.mcsurrealcraft.com

서리얼크래프트 세계를 돌아다닐 때는 발밑을 조심하세요. 용암 블록 외에도 자칫하여 빠질 수 있는 함정이 많습니다!

가운데땅 Middle Earth

책이나 영화로도 나온 <반지의 제왕>이나 <호빗> 을 본 적이 있다면 J.R.R. 톨킨 작가가 만든 신기하고 거대한 세계에 대해 알고 있을 겁니다. 가운데땅은 작가의 소설 속 세계관에 나오는 무대입니다. 2010년, 마인크래프트 미들어스 Middle Earth 제작자는 가운데땅을 그대로 재현할 목표를 세웠고 함께 협력할 건축가를 모집했습니다. 그 덕에 가운데땅 세계는 지금까지 꾸준히 확장되고 있으며, 사이트에 따르면 개설 이후 1,200만 명 넘는 방문자가 접속했습니다. 그 가운데 많은 사람들이 이 사이트에 적극적으로 기여했습니다.

기여자(도움이 되도록 이바지하는 사람)들은 블록으로 가상 세계를 만듭니다. 기여자들이 건물은 물론 질감, 배경, 효과음, 음악 등을 만들고 디자인합니다.

가운데땅 제작자는 자신이 이 세계를 만들고 있지만 롤플레잉 서버도 아니며, 비디오 게임을 호스팅하지 않는다는 점을 밝혔습니다. 이 팀은 마인크래프트 블록으로 판타지 세계를 디자인하고 창의적인 환경을 제공하기 위해 노력합니다.
가운데땅은 보호 받고 있으며, 아무 데나 건축할 수 없습니다. 가운데땅 디자이너는 디자인 작업을 할 수 있는 권한이 있고, 디자이너로 등록된 플레이어만 참여할 수 있습니다. 그리고 디자이너가 작업을 하는 동안 일부 영역을 모든 사람이 지을 수 있게 열어 두기도 합니다.
가운데땅은 때때로 건축 서버 안의 설계 세계인 Plot World에서 자유 건축이나 콘테스트를 개최하지만, 이러한 콘테스트 및 자유 건축 바깥에서의 건축은 차단됩니다.

반지의 제왕 팬을 위한 신비한 세계

마인크래프트 가운데땅은 회원들이 프로젝트를 만들고 창의성을 뽐내며 세상을 만들 수 있도록 합니다. 주요 랜드마크, 지형, 주택, 장식은 우리 팀에서 직접 만든 창작물입니다. 플레이어는 크리에이티브 모드로 접속해서 리텍스쳐가 적용된 다양한 블록들로 곤도르, 로한, 더 샤이어, 모리아, 모르도르를 지을 수 있습니다.
- 니키 버미어시(Nicky Vermeersch), 마인크래프트 가운데땅 창립자

최신 건축물인 미나스 티리스 성 앞에서 찍은 가운데땅의 건축가들 사진.

마인크래프트 가운데땅은 언제나 건축 중입니다.

열심히 일하는 인테리어 건축가들.

이 사이트는 디자이너와 팀 리더가 팀스피크를 사용해서 건축 팀과 소통하는데, 사용자들도 많이 로그인하여 다른 가운데땅 기여자와 채팅하곤 합니다. 이 장기적인 커뮤니티는 현실 세계로까지 나와서 벨기에 민속 축제인 '데 겐체 페스텐'(De Gentse Feesten, 벨기에 겐트 시에서 열리는 음악 및 연극 축제) 기간 동안 연례 공식 모임을 가질 정도입니다. 사람들은 공식 모임에서 만나기 위해 영국, 독일, 스웨덴, 노르웨이, 폴란드에서 축제로 옵니다.

상기: 현명하게 플레이하고 보안을 유지해야 합니다. 온라인에서 만난 사람과 직접 만나거나 실제 이름, 학교, 집, 또는 아는 사람의 이름 같은 개인 정보를 주지 마세요. 공식 모임에 가려면 부모님이나 보호자에게 반드시 허락을 구하거나 확인 받아야 합니다. 여러분의 개인 정보를 요청하거나 직접 만나자고 하는 사람은 곧바로 모더레이터에게 신고하세요.

www.mcmiddleearth.com을 방문해 자세한 내용을 알아보세요. 서버는 다음과 같습니다.
건축 서버: build.mcmiddleearth.com
PvP 및 이벤트 서버: pvp.mcmiddleearth.com
팀스피크: ts.mcmiddleearth.com

미니지 파벌 Mineage factions

커다란 하나의 세계, 수많은 전투가 있습니다. 여러분이 파벌을 좋아한다면 습격, 최후의 승자 게임 모드, 랜덤 황야 순간 이동 시스템, PvP 구역이 있는 웅장한 풍경을 좋아하게 될 것입니다. 화이트리스트가 있는 서버는 아니지만 온라인에 직원이 있어 인사를 하거나 도움을 받을 수 있습니다.

미니지 파벌에서 재미있는 부분 중 하나는 물건 부수기입니다.

마인플렉스 Mineplex

마인플렉스는 멀티플레이 서버 가운데 가장 크고 인기 있는 서버 중 하나였습니다. 작은 섬으로 둘러싸인 큰 하늘 섬 로비를 통해 게임에 입장합니다. 파쿠르를 하면서 보석을 얻고 로비에 숨겨진 방과 이스터 에그를 발견할 수 있습니다. 로비에서는 게임 지역과 특별 이벤트가 있는 곳으로 갈 수 있습니다. 서버는 크게 클래식, 아케이드, 서바이벌, 챔피언즈의 미니 게임으로 나뉘었지만 지금은 많은 게임이 삭제된 상태입니다. 챔피언 게임에서는 캐릭터의 상태(status)와 기술을 커스터마이징하고 다른 플레이어와 겨룰 수 있습니다. 또한 핼러윈이나 크리스마스 같은 휴일에는 서버에서 특별 이벤트를 개최합니다. 도전 과제를 해내면 이벤트 상품을 얻을 수 있습니다. 플레이어는 보물을 얻게 되는데, 보물은 게임 속에서 아이템을 구매하기 위한 화폐 역할을 합니다.

http://mineplex.com을 방문해 자세한 내용을 알아보세요. 서버 IP: mineplex.com

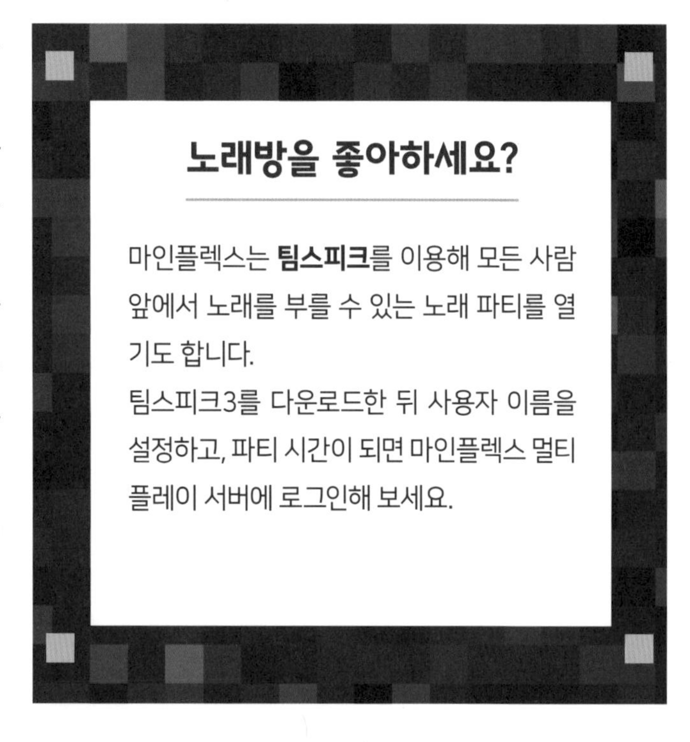

노래방을 좋아하세요?

마인플렉스는 **팀스피크**를 이용해 모든 사람 앞에서 노래를 부를 수 있는 노래 파티를 열기도 합니다.
팀스피크3를 다운로드한 뒤 사용자 이름을 설정하고, 파티 시간이 되면 마인플렉스 멀티플레이 서버에 로그인해 보세요.

마인플렉스에는 폭탄 도둑(Bomb Lobbers)이라는 미니 게임이 있습니다. 기본적으로 TNT를 서로에게 던지고 온갖 물건이 터지는 것을 지켜보는 것입니다.

마인스퀴시 Minesquish

가끔은 접속한 서버의 세계가 너무 커서 모두 탐험해 보려면 몇 년을 보내야 할 것 같은 기분이 드는 곳도 있습니다. 어린이용 서버인 마인스퀴시처럼 말입니다. 마인스퀴시는 독특한 세계와 플레이할 게임이 많아서 지루할 틈이 없습니다.

메인 서버 시논 Shinon은 게임 속에서 자신만의 영구적인 집을 지을 수 있는 땅으로 구성되어 있습니다. 끝이 없는 탐험의 세계도 있습니다. 플레이어에게는 획득한 아이템을 안전하게 보관하고 다른 플레이어에게 들키지 않도록 '공허(The Void)'라는 자체 보관함도 제공됩니다. 자유 건축(Freebuild) 세계와 건축 경쟁 세계 콘테스트도 열립니다.

단점이라면 세계가 워낙 크다 보니 다른 플레이어를 찾는 것이 어려울 수 있다는 점입니다. 결국 다른 플레이어를 찾을 때까지 한동안 혼자 돌아다니게 될 수도 있습니다. 이 서버는 화이트리스트를 쓰므로, 신청서를 작성해 빠르게 승인 받은 다음 전 세계를 둘러보며 시간을 보내야 합니다. 각 세계에 들어갈 때마다 잠시 멈춰서 게시판을 읽어 보세요. 정보가 가득할 뿐만 아니라 재미있는 내용도 있습니다. 보고 나서 마음에 들면 친구들도 가입하도록 초대해서 PvP 탐색, 건축, 플레이, IRC 채팅을 해 보세요. http://indiesquish.com을 방문해서 가입 신청서를 작성하면 됩니다.

마인스퀴시에는 창의력을 마음껏 펼칠 수 있는 공간이 있습니다. 왼쪽 그림은 마인스퀴시 플레이어가 만든 창의적인 건축물입니다.

안심하고 방문하세요!

미니 게임 Mini-games

미니 게임은 마인크래프트의 소규모 게임 모드입니다. 주로 마인크래프트 서버에 있습니다. 미니 게임 시간은 몇 분에서 몇 시간까지 걸리기도 하며, 승자는 한 명입니다. 한 미니 게임 라운드가 다음 미니 게임 라운드와 관련 있는 경우는 거의 없고 모든 사람이 같은 상태에서 시작합니다.

미니 게임의 좋은 예로는 **생존 게임**이나 **흙찡구놀이**(Spleef)가 있습니다. 가장 큰 마인크래프트 서버는 미니 게임 네트워크라고 할 수 있습니다. 즉, 동시에 여러 차례 돌아가는 수많은 미니 게임을 제공하고 있어 친구나 다른 플레이어와 다양한 게임 모드를 쉽게 플레이할 수 있습니다.

미니 게임 죽음달리기(Deathrun)는 달리기 선수(Runners)와 죽음(Deaths) 두 팀이 있습니다. 달리기 선수 팀은 죽지 않고 맵 끝까지 가야 합니다. 가는 길에는 자동 죽음 함정이 있으니 잘 피해야 합니다. 죽음 팀의 목표는 달리기 선수 팀이 끝까지 가기 전에 죽이는 것입니다.

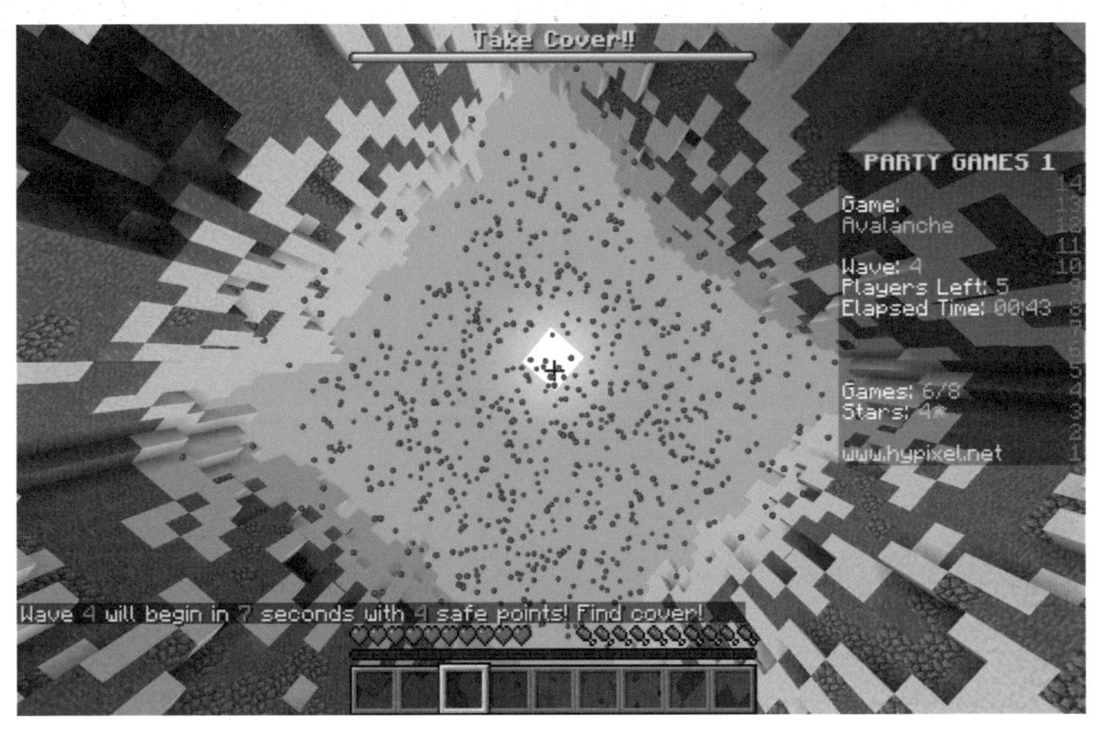

강렬한 미니 게임 눈사태는 위험한 눈보라의 맹공격에서 살아남아 최후의 1인이 되는 것입니다.

돼지 낚시는 낚싯줄로 최대한 돼지를 많이 잡아 점수를 얻는 미니 게임입니다.

MMO (Massively Multiplayer Online 대규모 멀티플레이어 온라인)

MMO는 전 세계 많은 사람들이 온라인으로 만나 함께 플레이할 수 있는 게임입니다. 마인크래프트는 가장 인기 있는 MMO 게임 가운데 하나로, MMORPG라고도 하는데, 사람들이 자신을 대신해 아바타를 만들어 온라인에서 롤플레잉하는 게임을 말합니다. 마인크래프트에서는 플레이어가 사용자 이름이나 ID에 자신의 정체성을 드러내기도 합니다. 심지어는 성격이나 배경 스토리가 따로 있을 수도 있습니다. 마인크래프트 사용자 이름은 캐릭터가 어디를 돌아다니든지 항상 유지되며 온라인에서 플레이를 많이 하다 보면 다른 세션이나 다른 서버에서 만났던 플레이어를 만날 수도 있습니다. 게임을 하지 않을 때 마인크래프트 유튜브 동영상을 본다면, 알아볼 수 있는 이름이 생기고 좋아하는 유튜버의 동영상을 구독하게 될 것입니다. 마인크래프트 유튜버들은 일반적으로 동영상에 사용자 이름을 넣기 때문에 쉽게 알아볼 수 있을 것입니다.

모드 Mod(Modification)

모드는 모디피케이션 modification의 줄임말로, 정식 마인크래프트 게임에 추가되는 프로그램 중 하나입니다. 마인크래프트가 인기를 얻은 이유 가운데 하나는 동물이나 아이템을 새로 추가하거나 아이템을 발명할 수 있고, 방향을 볼 수 있는 미니맵 등 사용자가 원하는 대로 게임을 커스터마이징할 수 있기 때문입니다. 모드는 모장이 공식적으로 개발하거나 지원하는 것은 아닙니다. 모드 로더 또는 모드 다운로드 데이터베이스같이 모드를 가능하게 하는 모든 작업은 온전히 각 커뮤니티에서 개발하거나 나눠 줍니다. 어떤 모드는 플레이어에게 불이익을 주기도 하는데 이는 엄연히 해킹입니다. 엑스레이 모드 X-ray mods, 엑스레이 텍스처 팩 X-ray texture packs, 광석 찾기, 비행·속도 모드, 보관함·아이템 모드 등이 있습니다. 이런 모드를 사용하면 차단될 수 있으므로, 사용하기 전에 서버 규칙을 확인해야 합니다.

모더레이터 Mods(Moderators)

모더레이터는 시스템 관리자이거나 플레이어일 수도 있습니다. 어느 쪽이든 채팅방의 질서를 유지하고, 게시판 질문에 답하며 신규 플레이어를 도와줍니다.

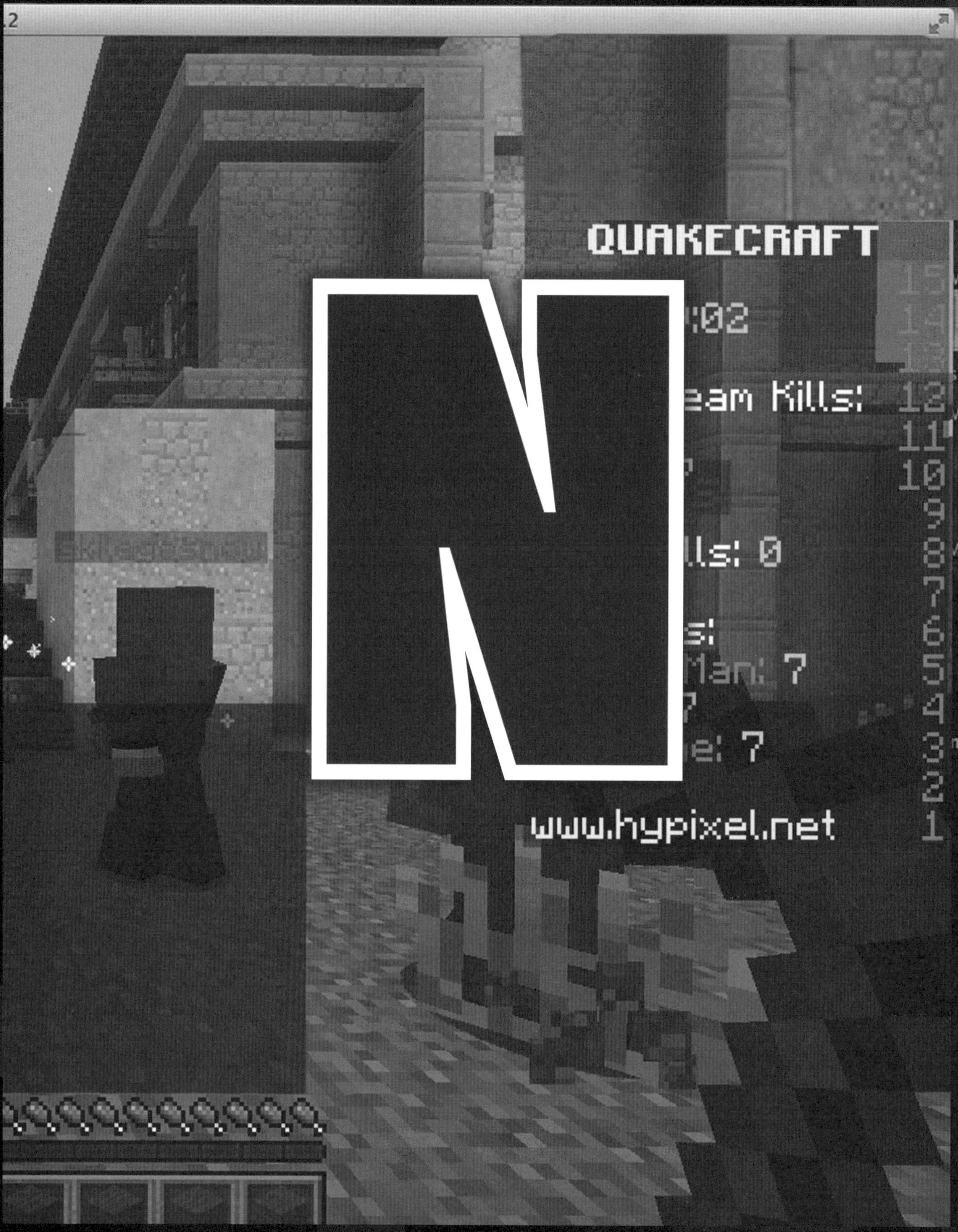

N

QUAKECRAFT

:02

eam Kills:

lls: 0

s:

Man: 7

7

e: 7

www.hypixel.net

15
14
13
12
11
10
9
8
7
6
5
4
3
2
1

이름표 Name tag

멀티플레이 게임을 할 때 플레이어 이름이 항상 캐릭터 위에 떠 있는 것을 볼 수 있습니다. 여러분의 이름표도 다른 플레이어에게 보입니다. 이름표를 보고 특정 플레이어에게 메시지를 보낼 수 있고 게임도 더 재미있어집니다. 색상으로 구분된 이름표는 누가 같은 팀원이고 아닌지 표시합니다.

팁

숨바꼭질 게임처럼 잘 숨어야 이기는 게임을 할 때는 이름표 때문에 상대방에게 들킬 수도 있습니다. 이럴 때는 나무처럼 높이가 높은 구조물 뒤에 서면 이름표를 숨길 수 있습니다.

이름표가 모두 파란색이므로, 세 명 다 퀘이크크래프트 팀이라는 것을 알 수 있습니다.

눕스타운 Noobstown

눕스타운은 마인크래프트 게임 커뮤니티 중 최초의 마을 서버 가운데 하나입니다. 모든 연령대가 사용할 수 있도록 엄격하게 관리하고 있으며 욕설 방지 플러그인이 있습니다. 또한 몇 시간이고 건축하고 탐색할 수 있는 세계가 많이 있습니다. 여러분의 여행은 눕스타운 성의 정원에서 스폰되어 첫 번째 튜토리얼을 보며 시작됩니다. 등록 절차에는 약간의 기다림이 필요하지만, 기다릴 만한 가치가 있습니다.

눕스타운 커뮤니티의 회원이 되면 마을 주민 버나드의 소개로 서버를 안내 받게 되는데, 탐험할 가치가 있는 멋진 구역 3개가 있습니다. 필요한 아이템을 구입할 수 있는 시장 구역, 다양한 특별 이벤트를 주최하는 독특한 환경인 마법사 구역, 그리고 집을 짓고 마을에 참여하며 대부분의 시간을 보내게 될 황야입니다. 마을 땅 대부분은 이미 다른 플레이어가 정착한 상태지만, 황야의 외곽으로 계속 나아가다 보면 자신만의 영역을 찾을 수 있을 것입니다.

눕스타운에는 황야를 돌아다니는 일반 세계와 필요한 자원을 채굴할 수 있는 광산 세계 등 5개의 세계가 있습니다. 이벤트 세계를 탐색하며 어떤 멋진 이벤트가 진행 중인지 확인할 수도 있고 PvP에 도전하는 차원문을 찾을 수도 있습니다.

이 세계를 직접 탐험하고 싶다면 서버 IP: noobstown.com로 로그인해 보세요.

1

옴니크래프트 Omnikraft

옴니크래프트는 플레이어를 대단히 반갑게 맞이해야 한다는 생각을 지닌 커뮤티니입니다. 2013년에 개설되었으며 적은 인원이 운영하고 있으나 수천 명의 회원을 가지고 있습니다. 로그인하면 함께 플레이하거나, 건축하거나 전투할 동료가 반드시 있습니다.

이곳 서바이벌 서버에는 황야 워프(Wilderness warp)라는 혁신적인 모드가 있습니다. 명령어 블록을 사용하는 순간 이동 메커니즘인데, 오버월드에서 플레이어를 랜덤으로 순간 이동 시킵니다. 좋은 장소를 찾는 데 도움이 되므로 완벽한 장소를 찾기 위해 며칠 동안 걸어 다닐 필요가 없습니다.

서버 주인인 크립틱스 Kryptix와 미스터페파 MrPeppah는 심한 학대나 유치한 행동을 용납하지 않으며, 문제가 발생하지 않도록 미리 끼어듭니다. 이 사이트는 매주 투표를 해서 회원들의 의견을 모으며 열린 자세로 항상 새로운 아이디어와 제안을 듣습니다.

괴롭힘과 싸우는 관리자

우리는 규칙에 괴롭힘을 용납하지 않는다고 적어 놨으며, 회원들에게 생긴 문제점을 최대한 보고하라고 모든 직원에게 권하고 있습니다. 그리핑을 보고 받으면 사건과 관련된 플레이어들과 최대한 이야기해서 상황을 파악하려고 노력합니다. 때로는 괴롭힌 사람들을 음소거(채팅에서 말할 수 없게 함.)하거나 일정 기간 동안 차단합니다. 순간적으로 화가 난 사람들이 진정하고 자신의 생각을 정리할 수 있도록 하기 위해서입니다.

- 지미 태신(Jimmy Tassin), 옴니크래프트 창립자

옴니크래프트 발굴 경기장에 모인 플레이어들.

옴니크래프트의 스폰 도시.

2016년 9월, 옴니크래프트 드롭 파티(떨어진 아이템을 줍는 파티).

옵티파인 Optifine

온라인으로 플레이하다 보면, 바닐라 버전 즉, 모드 없는 서버를 포함한 많은 서버들이 옵티파인을 사용한다는 것을 알게 될 것입니다. 옵티파인은 서버가 더 빨라지도록 돕고 화질을 좋아지게 합니다. 옵티파인을 사용하는 서버의 애니메이션이 초당 프레임을 더 많이 사용해 움직임이 부드럽고 더 균일하다는 것을 눈치채게 될 것입니다.

10.2
P
3

페인트볼 Paintball

여러 가지 색 갑옷을 입고 뛰어다니며 상대에게 페인트볼을 쏘는 게임입니다. 페인트볼 게임 규칙은 깃발 뺏기와 비슷한 미니 게임이지만, 플레이어는 여러 종류의 페인트볼 총과 여러 색깔 갑옷이 있습니다. 본부가 있어서 장비를 보관하고 여차하면 후퇴해 다시 정비할 수 있습니다. 페인트볼 게임 전용 서버인 MC볼과 다른 게임도 많이 있는 하이픽셀 등 여러 서버에서 제공합니다. 한 번에 최대 6개 팀이 경쟁할 수 있습니다.

파쿠르 Parkour

파쿠르는 달리다가 순간적인 힘으로 장애물을 점프하거나 기어올라서 한 구역을 빠르게 통과하는 스포츠입니다. 마인크래프트에는 파쿠르 전용 서버가 있고 여기서는 플레이어가 점프, 도움닫기 점프, 높이 뛰기, 뛰어 내리기, 대각선 점프, 사다리나 벽 타기, 막대나 유리창으로 점프하며 탐색할 수 있는 맵이 만들어집니다. 파쿠르 코스는 재미있고 빠르게 진행되며 어렵습니다. 하지만 대부분의 서버에는 파쿠르를 시작하기에 앞서 훈련하는 데 도움이 되는 다양한 난이도의 맵이 있습니다.

게임플레이 경기력을 북돋아 주는 다양한 키트를 얻을 수 있습니다. 페인트볼에서 적의 깃발을 뺏으려면, 상대방 기지까지 달려간 다음 죽지 않고 자신의 기지로 가져와야 합니다.

파쿠르를 완전히 익히는 것은 어렵지만 과정은 매우 즐겁습니다.

해적크래프트는 파쿠르 생존 게임을 제공하는 서버 가운데 하나입니다.

파티 Party

멀티플레이 온라인 게임을 '소셜 게임 Social gaming'이라고 합니다. 게임 안에서 파티를 벌이는 것만큼 친분을 쌓는 데 좋은 것은 없습니다. 이볼브HQ를 포함한 여러 사이트는 파티할 수 있는 환경을 무료로 제공합니다. 플레이어는 개인 파티 서버에서 온라인으로 친구와 연결해 게임플레이를 하며 동영상이나 음성 또는 문자로 대화를 나눌 수 있습니다. 사이트는 게임이나 미니 게임에 참여할 다른 플레이어를 찾는 데 도움이 되며 인원 제한은 두 명부터 무제한까지 다양합니다.

파티가 일반 서버 참여와 다른 점은 여러분 마음대로 규칙이나 제한을 설정할 수 있고, 원한다면 비공개로 설정할 수 있습니다.

유료 플레이 Pay to play

서버를 운영하는 데는 돈이 들고, 서버 호스트는 비용을 지불해야 합니다. 그래서 멀티플레이 일부 서버들은 유료입니다. 서버 대부분은 비용을 충당하기 위해 기부를 요청하고, 사이트에 기부한 플레이어한테는 보너스 파워나 포인트를 보상으로 줍니다.

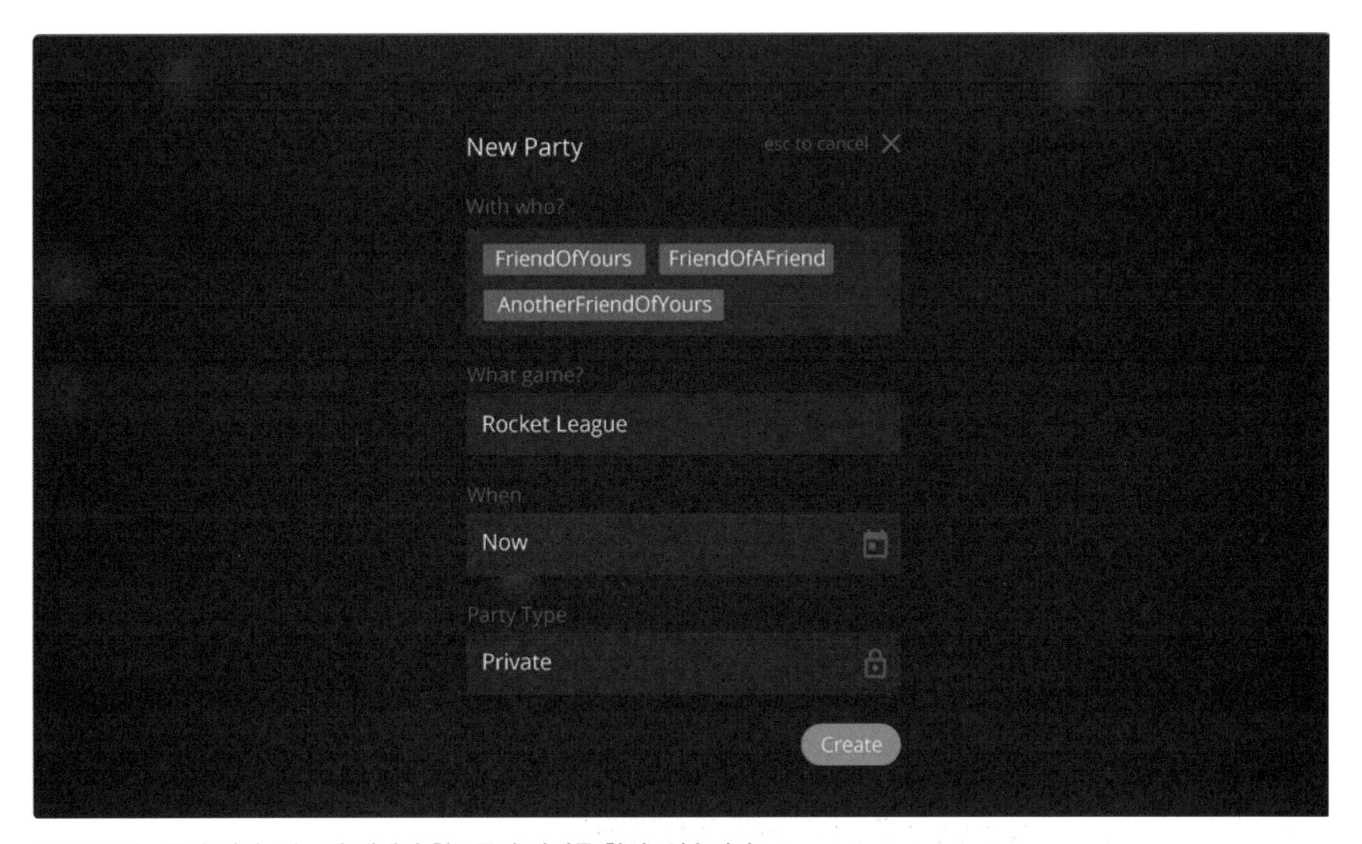

이볼브HQ는 우리 지역 또는 전 세계의 친구들과 파티를 할 수 있습니다.

어떤 서버는 이를 한 단계 더 발전시켜서 월 사용료를 지불하는 플레이어에게 프리미엄 환경을 제공합니다. 무료로 사이트를 즐기다 보면 유료 사용자들이 누리는 특권을 누리지 못한다는 것을 깨닫게 될 것입니다. 예를 들어, 인기 게임은 자리가 날 때까지 오래 기다려야 하는데, 유료 사용자는 일반 사용자를 앞질러 플레이할 수 있습니다. 여러분 마음에 들고 편안하게 사용할 수 있는 서버를 찾으세요. 어떤 사용자는 유료 게임을 좋아하지만 다른 사용자에게는 눈엣가시일 수도 있습니다.

핑 Ping

핑은 인터넷 반응 시간을 의미합니다. 멀티플레이 서버에 가입하기 전에 평가해야 할 것 중 하나로, 핑이 낮은 서버가 좋습니다. 게임 데이터 업데이트 속도가 빠르고 랙 발생을 최소화시키기 때문입니다. 핑이 낮을수록 게임플레이가 더 원활해집니다. 인터넷 연결에 문제가 있거나 인터넷과 거리가 멀면 핑이 높아질 수 있습니다.

해적크래프트 PirateCraft

해적 팬이거나 가상 세계에서 이뤄지는 항해나 약탈을 좋아한다면 해적크래프트에 접속해 보세요. 배를 만들어서 대포를 장착하고, 다른 해적에 맞서는 함선 전투에 참여할 수 있습니다. 육지에서는 무역을 할 수 있을 만큼 간단한 경제 활동을 할 수 있고, 그리퍼나 도둑으로부터 전리품을 지킬 수 있도록 집을 지어서 안전지대를 만들 수 있습니다. 다만 주의하세

해적크래프트 해적선에 탑승해 보세요.

요. 여러분이 배에서 내린다면 다른 해적이 여러분의 배를 훔칠 수도 있습니다. 반대로 여러분이 다른 배를 훔칠 수도 있겠지요. 이것이 바다의 법칙입니다.

해적 크래프트를 방문해 자세한 내용을 알아보세요. 서버 IP: mc.piratemc.com

픽셀몬 Pixelmon

좋아하는 것을 더 열심히 해서 멋진 결과물을 만들어 내는 상상을 해 본 적이 있다면 픽셀몬을 해 보세요. 픽셀몬 모드는 300마리의 포켓몬과 약 500개의 전투 공격 동작을 게임에 추가해 실제 포켓몬 게임처럼 만드는 서버입니다. 픽셀몬은 포획한 포켓몬을 기록할 수 있는 도감인 포케덱스 Pokédex도 함께 제공합니다. 멀티플레이어 모드에서는 온라인에서 만난 플레이어와 포켓몬을 교환할 수도 있습니다.

싱글 플레이어 모드에서 플레이하든 서버를 통해 온라인으로 하든 pixelmonmod.com에서 모드를 다운로드해야 플레이할 수 있습니다. 여러분이 가입할 수 있는 최고의 픽셀몬 서버는 RC픽셀몬 RC Pixelmon, 포켓 게이밍 Poke Gaming, 랜덤크래프트 RandomCraft, 데스티니MC 픽셀몬 네트워크 Destiny MC Pixelmon Network, 포켓레전드 PokeLegends, 리치MC Reach MC 등이 있습니다(모두 화이트리스트 서버임).

일본의 관동 지방과 성도 지방을 배경으로 한 픽셀몬 크래프트도 있습니다. 싱글플레이어 모드와 마찬가지로 게임에 등장하는 동물이 포켓몬으로 변해 포획과 전투가 가능합니다. 체육관 관장들과 싸우고, 포

픽셀몬 같은 멀티플레이 게임을 새롭게 즐기고 싶다면, F5 키를 눌러 1인칭에서 3인칭 시점으로 변경해 보세요.

픽셀몬에서는 사랑스러운 포켓몬을 많이 만나고 포획하거나 전투할 수 있습니다. 사진과 같은 트레이너와 만나게 되면, 전투 여부를 선택할 수 있습니다.

픽셀몬을 플레이하는 동안 멋진 건축물과 온갖 종류의 포켓몬을 많이 발견하게 될 것입니다. 플레이어 손에 있는 포케덱스에는 포켓몬에 대한 유용한 정보가 들어 있습니다.

알루미늄 괴는 픽셀몬의 소중한 자원입니다. 모든 종류의 갑옷과 무기를 만드는 데 사용할 수 있습니다. 알루미늄 괴를 사용하여 포켓몬볼을 만들 수도 있습니다.

포켓몬센터는 포켓몬을 치유할 수 있는 완벽한 장소입니다. 평원 생물 군계에서 더 쉽게 찾을 수 있습니다.

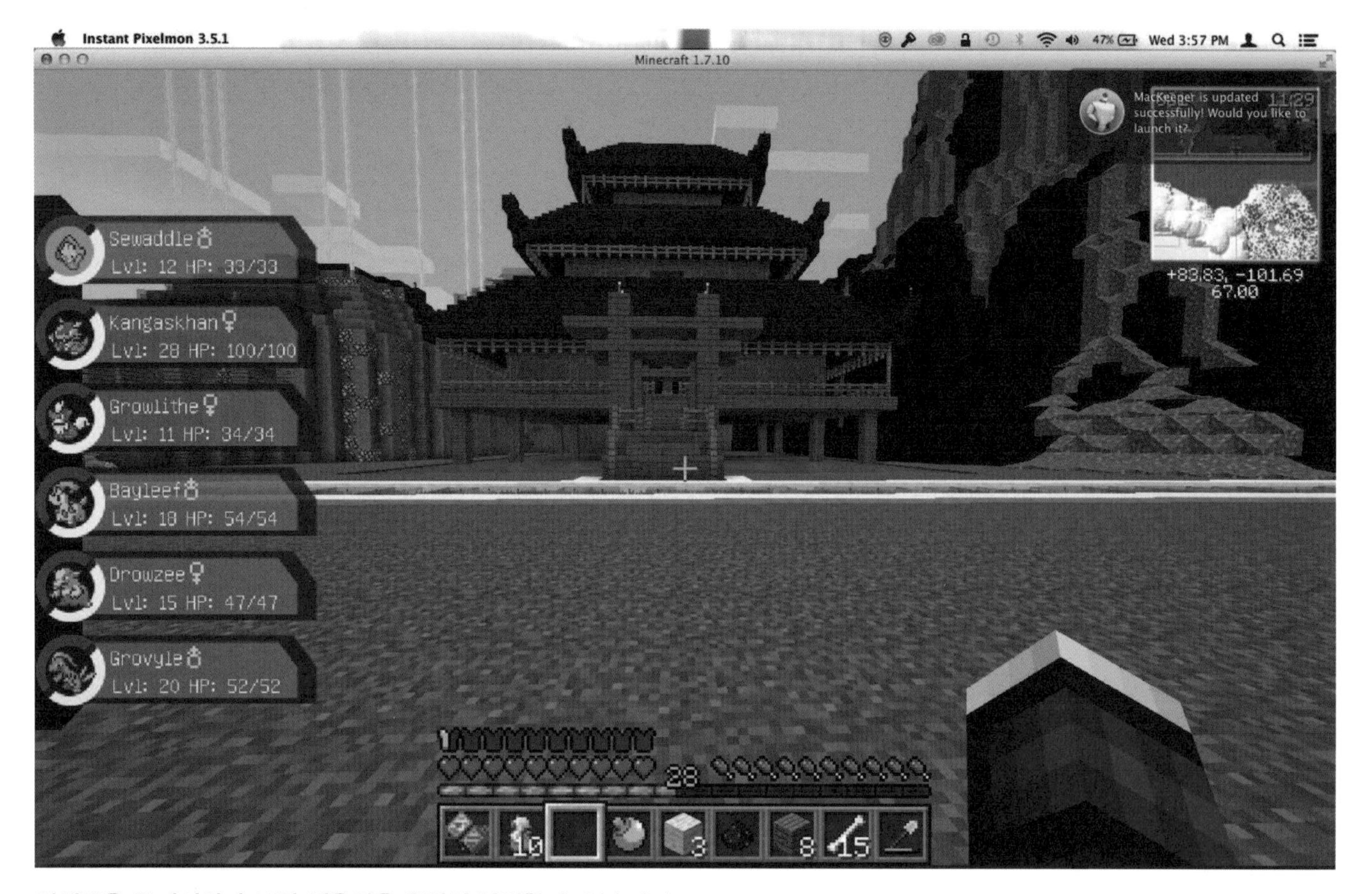

픽셀몬을 플레이하다 보면 체육관을 우연히 발견할 수 있습니다.

켓몬 마트에서 쇼핑해 보세요. 긴 풀은 반드시 피해야 합니다. 서버 IP: pixelmoncraft.net

행성마인크래프트 PlanetMinecraft

행성마인크래프트는 모든 마인크래프트 서버의 총본부 같은 곳입니다. 플레이어가 자신의 창작물, 아이디어, 게임을 공유할 수 있는 커뮤티니 역할을 합니다. 서버에 쓸 모드에 대해 배우고, 새로운 플레이 방식을 찾기도 하며, 새 서버를 찾을 수 있습니다. 공유 프로젝트, 텍스처 팩, 스킨, 모드를 다운로드해 컴퓨터 싱글플레이나 멀티플레이 모드에서 사용할 수 있습니다.

마인크래프트에 열정 있는 플레이어라면 가입할 만한 가치가 있는 커뮤니티입니다. 스킨 디자인, 세계 창조, 블로그 게시물, 자선 행사와 같이 참여할 수 있는 콘테스트가 많이 있습니다. 회원들은 플레이어를 사로잡는 다양한 디자인과 아이디어를 내놓습니다. 출품작과 수상작을 보며 영감을 받고 나만의 작품을 만들어 보세요. 커뮤니티 페이지를 방문하면 게임플레이를 라이브로 스트리밍하는 플레이어도 있습니다.

planetminecraft.com에 방문하여 다운로드할 만한 프로젝트나 스킨, 팩이 있는지 확인해 보세요. 처음 방문했을 때는 가장 인기 있는 탭부터 살펴보는 것이 가장 좋습니다.

행성마인크래프트에서는 다른 마인크래프트 팬과 교류하며 자신만의 창작물을 업로드할 수 있습니다. 또 멋진 환경을 다운로드하거나, 마음에 드는 창작물에 투표해 보세요.

플러그인 Plugins

대부분의 서버는 플러그인을 사용해 기능을 확장합니다. 플러그인은 화폐 체계, 직업, 롤플레잉 요소, 순간 이동을 포함한 온갖 기능을 사용할 수 있게 만듭니다. 여러분이 직접 LAN이나 서버에서 게임을 실행할 계획이라면 플러그인을 구해서 쓰면 됩니다. 이미 플러그인이 있는 서버에 가입한다면 굳이 다운로드할 필요는 없습니다. 서버에 다 세팅되어 있기 때문입니다.

플러그인과 모드의 차이점은 무엇일까요?

모드는 마인크래프트 플레이를 바꾸는 코드입니다. 추가 명령어를 제공하고 게임 기능을 변경하며 플러그인의 바탕이 됩니다. 모드는 마인크래프트 업데이트에 발맞추어 업데이트해야 합니다. 크래프트 버킷이 모드에 해당합니다. 플러그인은 보너스 기능을 제공하며 일반적으로 업데이트를 할 필요가 없습니다. 플러그인에는 스타게이트와 월드가드 등이 있습니다.

인구 Population

서바이벌 서버를 사용할 때는 인구, 즉 동시에 게임하는 플레이어 수가 게임플레이에 영향을 줍니다. 무정부 스타일 서버는 인구가 적을 때 더 흥미진진한 경우가 많습니다. 다른 플레이어와 충돌하지 않고 세계를 돌아다닐 수 있기 때문에 자원을 찾을 공간이 많고 생존이 보장됩니다. 또 몰입감도 더해 주지요. 미니 게임에서는 인구가 많을수록 좋은 경우가 많습니다. 같이 플레이할 사람이 채워질 때까지 기다리지 않고 바로 게임에 참여할 수 있기 때문입니다.

차원문 Portal

게임하는 사람들은 차원문을 좋아합니다. 새롭고 흥미진진한 세계로 가는 가장 빠른 지름길 역할을 하기 때문입니다. 차원문은 멀티플레이어 모드에서 플레이어를 새롭고 신선한 모험 속으로 바로 안내합니다.

하이픽셀 로비에 있는 차원문으로 뛰어들면 흥미진진한 멀티플레이 게임으로 순간 이동하게 됩니다.

포터월드 Potterworld

해리포터 팬들이 매우 좋아할 만한 롤플레잉 게임입니다. 마법 수업, 물약 만들기, 숨겨진 상자 찾기, 결투, 주문 배우기, 다른 학생 만나기 등 마법 학교에서 할 수 있는 많은 것들을 온라인에서 플레이할 수 있습니다. 포터월드에는 화폐, 일일 도전 과제, 엄격한 규칙들이 있습니다. 규칙을 위반하면 최악의 경우 아즈카반 형(insta-azkabanned)으로 차단될 것입니다.

마인크래프트 벽돌 블록으로 만든 호그와트가 꽤 인상적입니다. http://www.potterworldmc.com을 방문해 해리포터 테마로 이루어진 포터월드에서 더욱 더 놀라운 경험을 해 보세요.

해리포터 영화나 책에서 많은 사람들이 좋아했던 장소를 그대로 재현했습니다.

서버에 가입한 뒤 기숙사에 배정되면, 호그와트 마법 학교의 학생이 되어 본격적인 모험을 시작합니다. 각 플레이어는 마법 지팡이를 갖게 되며 라이브 수업을 통해 주문을 배울 수 있습니다.

직원이 항상 온라인 상태에 있기 때문에 문제가 생기면 도와줄 수 있습니다. 포터월드는 남녀노소 누구나 접속할 수 있는 서버임을 자랑스럽게 생각합니다.

감옥 Prison

감옥 서버는 넓은 황야가 전혀 없는 서버입니다. 이런 서버에서 게임을 진행하려면 다양한 방법으로 돈을 벌어야 합니다. 감옥에서 자원을 키운 다음 더 높은 레벨에 도달하는 방법이 있습니다. 레벨이 높을수록 더 많은 지역으로 갈 수 있습니다. 어떤 서버에는 PvP도 활성화되어 있어 플레이어끼리 죽일 수 있습니다. PvP 감옥 서버를 사용할 때는 다른 플레이어와 팀을 짜거나 혼자 싸워서 감옥을 탈출할 수 있습니다. 프리즌 테크 Prison Tech는 세계 자체가 감옥 역할을 하는 감옥 서버입니다. 여러 개의 감방으로 나뉘며 플레이어는 탈출을 시도하는 죄수 역할을 합니다. 상위 플레이어가 경비원과 감시자 역할을 합니다. 플레이어는 강제로 광산에서 일해야 하며 채굴된 원소 스택(더미)을 판매해 레벨업할 수 있습니다. 레벨이 높아질수록 플레이가 PvP가 되므로 교도관뿐만 아니라 등 뒤도 조심해야 합니다.

프롭 헌트 Prop hunt

프롭 헌트는 PvP 숨바꼭질 게임으로, 26개의 마인크래프트 몹 가운데 하나로 스폰됩니다. 상대편이 여러분을 찾기 전에 상대 팀을 모두 찾아야 합니다. 가장 많은 상대를 찾으면서 잡히지 않은 플레이어가 승리합니다.

플레이어 대 환경 PVE

PvE는 플레이어 대 환경 'Player versus Environment'의 줄임말입니다. PvE에서는 생존을 위해 몹 또는 게임 요소와 대결합니다. 멀티플레이어 모드에서는 다른 플레이어와 팀을 이루어 서로를 지원하고, 커뮤니티를 이루며 서로의 경험을 통해 배울 수 있습니다. PvE 서버는 미로, 몹 스포너(생성기), 사용자 지정 맵을 생성할 수 있습니다. 플레이어가 개별적으로 또는 팀으로 극복할 도전 과제도 만들 수 있는데, 과제에 따라 목표도 다릅니다. 킬, 전리품, 코인, XP(경험치), 그 밖의 여러 종류의 포인트를 모아 점수를 높여 스스로 목표를 달성하거나, 상대방과 경쟁할 수 있습니다. PvE 서버 중에는 감옥 탈출, 던전, 모험 맵, 전투 경기장, 몬스터 스포너 등이 있습니다.

플레이어 대 플레이어 PVP

PvP는 플레이어 대 플레이어 'Player versus Player'의 줄임말이며, PvP 서버에서는 생존을 위해 경쟁해야 합니다. 쉽게 말해 장비를 훔치거나 서로 죽이기도 하는 곳입니다. 보통 서바이벌 및 바닐라 서버에 PvP가 많습니다. 이런 서버는 사냥을 하거나, 당하거나 아니면 둘 다 해당됩니다. 그리고 도전 과제를 위해서 레벨도 올려야 합니다.

팁

PvP 서버에서는 집을 나서기 전, 단단히 무장하고 가능하면 문을 잠그거나 보관함에 자물쇠를 사용하세요. 또 스스로를 보호하기 위해 물약과 마법을 많이 챙겨 두고 갑옷과 방패를 착용하는 것이 좋습니다. 갑옷이나 무기가 부족하면 후퇴하고 치유를 위해 우유와 물약을 비축하세요. 싱글플레이어 서바이벌 모드에서 몹에 대한 공격 기술을 연마하고, 자신에게 어떤 무기와 전략이 가장 적합한지 알아내세요. 어떤 사람들은 활과 화살 같은 무기를 사용하는 명사수인 반면, 어떤 사람은 검이나 도끼를 사용하는 근접 공격에 더 능숙합니다.

완전한 PvP 액션을 위해 전용 경기장을 따로 마련한 PvP 서버가 많은데, 옴니크래프트가 그 중 하나입니다. PvP 경기장에 입장할 때는 다른 플레이어의 공격을 받을 수 있는 지역에 진입한다는 경고를 받게 되며, 원치 않으면 되돌아갈 수도 있습니다.

인펙션 아레나 Infection Arena라는 PvP 게임입니다. 감염된 플레이어가 경기장 안에 있는 다른 플레이어를 제한된 시간 안에 감염시키는 게임입니다.

MC 센트럴에서는 PvP 지역에 입장할 때 등 뒤를 조심하라는 경고 메시지가 나타납니다.

Q

퀘스트 Quest

퀘스트는 QM 또는 퀘스팅 모드 Questing mode로도 알려져 있습니다. 온라인 게임에서 플레이어가 수행해야 하는 임무이며 완료하면 보상이 주어집니다. 마인크래프트에서 퀘스트를 완료하면 멋진 아이템, 전리품 가방, 추가 생명 연장, 업적 등이 주어집니다.

HQM(하드코어 퀘스팅 모드 Hardcore Questing mode)에서는 퀘스트를 완료할 수 있는 생명이 제한되는데, 보통은 단 하나입니다. 생명을 잃으면 그 순간까지 진행된 내용은 삭제됩니다.

블록랜디아 Blocklandia에는 어린이들이 쉽게 탐험할 만한 세계와 완료해야 할 퀘스트가 많이 있습니다.

R

랜치 앤 크래프트 Ranch N Craft

마인크래프트에 없는 게 없습니다. 랜치 앤 크래프트에는 서부 느낌이 나는 시골도 있습니다. 작은 마을 느낌이 나는 이 서버에 안장을 얹어 보세요. 모더레이터가 친절히 대해 줄 것입니다. 자신의 목장을 시작해 말을 키우고 농작물을 재배할 땅을 가져 보세요. 그리퍼나 나쁜 유저가 여러분 농가에 총을 쏘아 댈 걱정을 할 필요가 없습니다. 약간의 평화와 조용하고 친근한 이웃을 원하신다면 이곳에 와서 마법 같은 시간을 보내세요.

http://ranchncraft.com을 방문해 자세한 내용을 알아보세요. 서버 IP: mc.ranchncraft.com

랜치 앤 크래프트에는 직업과 경제 활동 기능이 있습니다.

렐름 Realms

렐름은 마인크래프트 제작사인 모장에서 제공하는 유료 서버 호스팅 서비스입니다. 여기에서 여러분 자신과 친구를 위해 개인 서버를 만들 수 있습니다. 원하는 만큼 많은 친구를 초대할 수 있고 여러분이 온라인 상태가 아닐 때도 다른 친구들이 언제든지 플레이할 수 있습니다. 단, 동시에 초대 가능한 플레이어는 최대 10명입니다. 마인크래프트 렐름 페이지에 방문해 구독 설정을 보세요. 처음 가입할 때는 무료 평가판을 받을 수 있습니다.

플레이 방법

- 마인크래프트를 열고 플레이를 클릭한다.
- 렐름 탭을 클릭한다.
- 새 렐름을 클릭한다.
- 렐름 이름을 정하고 기간과 플레이어 수를 선택한다.
- 만들기를 클릭하고 렐름을 입력한다.
- 메인 창을 열어 게임플레이 모드를 서바이벌 또는 크리에이티브로 설정한다.
- 플레이어 추가를 클릭하고 친구의 마인크래프트 사용자 이름을 입력하여 추가한다.

완료!

나만의 렐름을 만들어 친구들과 함께할 멋진 장소를 가져 보세요.

마인크래프트 포켓 에디션은 렐름 가입을 환영합니다.

롤플레잉 게임 RPG

RPG는 롤플레잉 멀티플레이 서버를 말합니다. 마인크래프트 역시 플레이어가 게임 속에 캐릭터를 만들어 자기 대신 행동하게 하는 롤플레잉 게임 서버입니다. MMORPG는 대규모 다중 사용자 온라인 롤플레잉 게임 'Massively Multiplayer Online Role-playing Game'의 줄임말입니다. 마인크래프트에서 가장 대중적인 롤플레잉 서버는 중세 시대입니다. 중세 시대는 마인크래프트의 구조나 아이템과도 가장 잘 맞습니다. 롤플레잉이 실행되고 강화되는 방식은 매우 다양합니다.

RPG 서버에 가입하면 그 세계의 인물이 되어 볼 수 있습니다. 포켓몬 캐릭터, 호그와트 학생, 맥도날드 식당 주인, 중세 마을 사람, 그 밖의 세계 제작자가 상상 속에서 만든 캐릭터가 되어 보는 경험을 할 수 있습니다. RPG에는 일반적으로 스킬 레벨 성장 모드, 미리 제작된 지형 또는 건물이 있는 커스텀 맵, 플롯 관리자 모드, 그 외에 그리핑 보호 및 보관함 보호 같은 서버 모드가 있어서 게임플레이를 더 재미있고 흥미롭게 만들어 줍니다.

S

TheHive

play.HiveMC.com

샌드롯 The Sandlot

샌드롯은 2011년에 개설되었습니다. 보통 난이도의 서바이벌 세계, 직업과 쇼핑몰이 있는 쉬움 난이도 세계, 크리에이티브 세계, 경기장과 생존 게임이 있는 **PvP** 서버, **스카이블록** 및 **파쿠르 맵**을 포함한 여러 가지 게임 모드를 제공합니다.
샌드롯은 선생님이었던 부모가 운영하는 서버답게 욕설이나 비열한 행동에 대해 매우 엄격하게 대처하므로 항상 공정하게 플레이해야 합니다. 순찰하는 모더레이터 팀이 늘 대기 중이며 엄격한 채팅 필터로 안전하게 사이트를 지키고 있습니다. 그리고 플레이어 중에 다른 곳에서 차단된 적이 있는지 훑어보고, 지원자는 화이트리스트 서버 승인을 받은 사람이어야 합니다.

www.sandlotminecraft.com에 방문해 자세한 내용을 알아보고 화이트리스트에 가입 신청해 보세요. 서버 IP는 server.sandlotminecraft.com

세미 바닐라 Semi-vanilla

세미(절반) 바닐라는 **바닐라**와 동일한 환경을 제공하기 위해 플러그인 사용이 매우 제한되어 있습니다. 하지만 일반 바닐라 모드보다 더 나은 보호 기능과 몇 가지 유용한 기능이 추가된 버전입니다. 이런 서버는 **스피곳**이나 **버킷**을 소프트웨어로 사용하고 있습니다. 허용되는 기능은 기본 순간 이동으로, 스폰 또는 설정된 집 포인트로 **순간 이동**하는 것입니다. 공개 서버에서 바닐라 대신 세미 바닐라를 사용하는 가장 중요한 이유는 보호와 로깅 플러그인으로 **그리핑**을 방지하기 위해서입니다. 채팅이나 투표와 같이 게임플레이에 직접적인 영향을 미치지 않는 플러그인도 허용됩니다.

서버 Servers

멀티플레이 게임에는 게임을 실행하는 호스트 서버가 필요합니다. 그래야 모든 사람이 온라인 또는 LAN을 통해 게임에 접속하고 서로 연결할 수 있습니다. 서버는 집에 있는 컴퓨터나 친구 컴퓨터로 호스팅할 수도 있고, 상업적 호스팅을 쓸 수도 있습니다.

서버 호스트는 게임이 실행되는 모드(서바이벌, 어드벤처, 크리에이티브, 하드코어)를 결정하고 게임 설정, 세계 생성, 규칙 만들기, 모드 추가 등 모든 것을 담당합니다.

서버는 세계와 같은 것이 아닙니다. 많은 서버가 여러 세계를 호스팅해서, 플레이하는 도중에 세계들 사이를 순간 이동할 수 있게 합니다. 서버에 접속하면 중앙 로비에 모이게 되고 이곳에서 세계로 들어갑니다.

일반 싱글플레이 게임처럼 서버 종류가 매우 다양합니다.

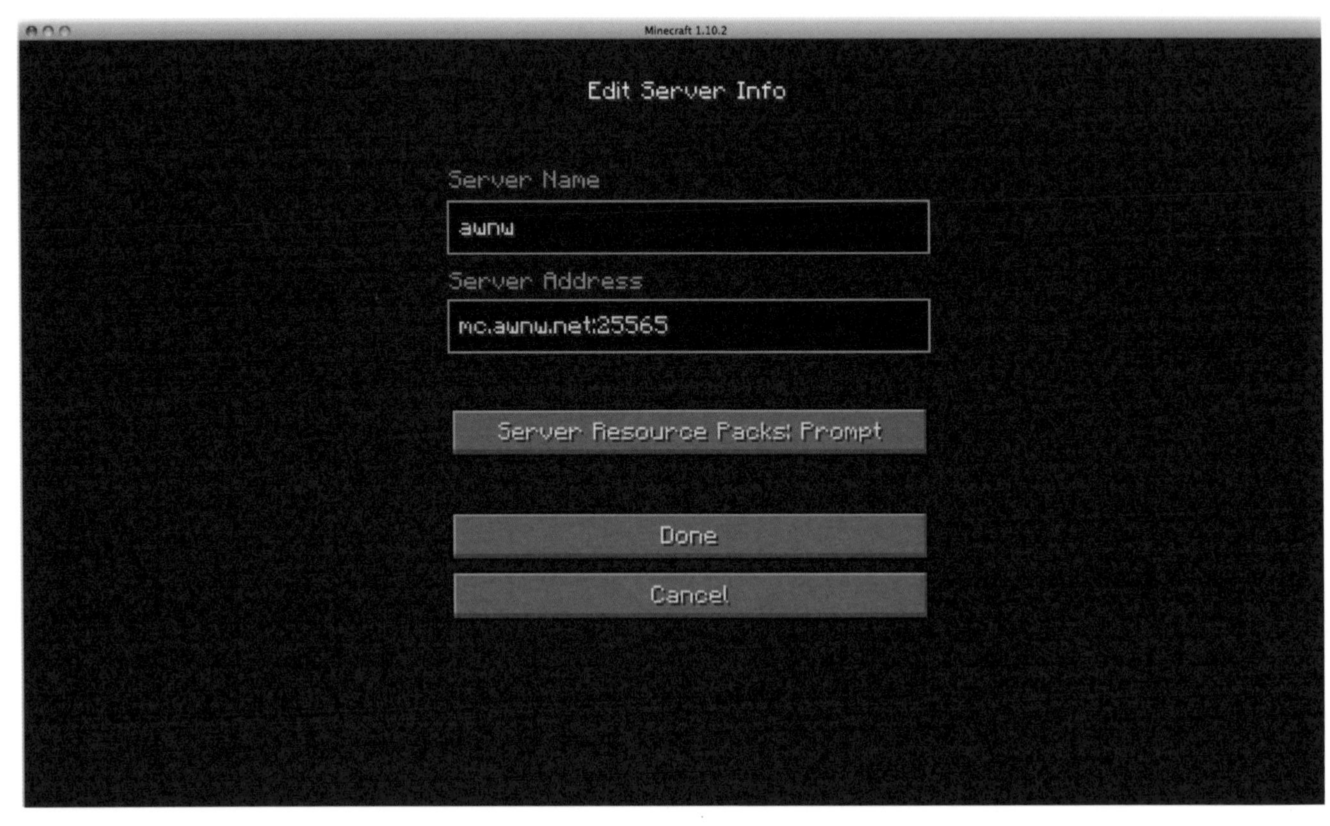

새 서버를 추가할 때 보게 되는 화면입니다. 서버에 이름(공개인 경우 실제 서버의 이름, 비공개인 경우 고유 식별 수단)을 넣은 다음 서버 ID를 입력합니다. 숫자가 너무 많다면 주소를 다시 한 번 확인해 보세요. 숫자나 문자가 한 개라도 틀리면 입장할 수 없습니다.

■ 크리에이티브 서버에서는 설계에 중점을 둔 세계로 건축하고 싶은 것은 뭐든지 만들 수 있습니다.

■ 미니 게임 서버를 통해 미니 게임을 만들고 플레이하며 경쟁할 수 있습니다.

■ 모드 서버에는 기계, 마법, 자동화와 같은 추가 기능을 제공하는 맞춤형 모드 팩이 있습니다.

■ PvP 서버를 사용하면 팀을 구성하거나 혼자 다니며 다른 플레이어와 전투 기술을 시험해 볼 수 있습니다.

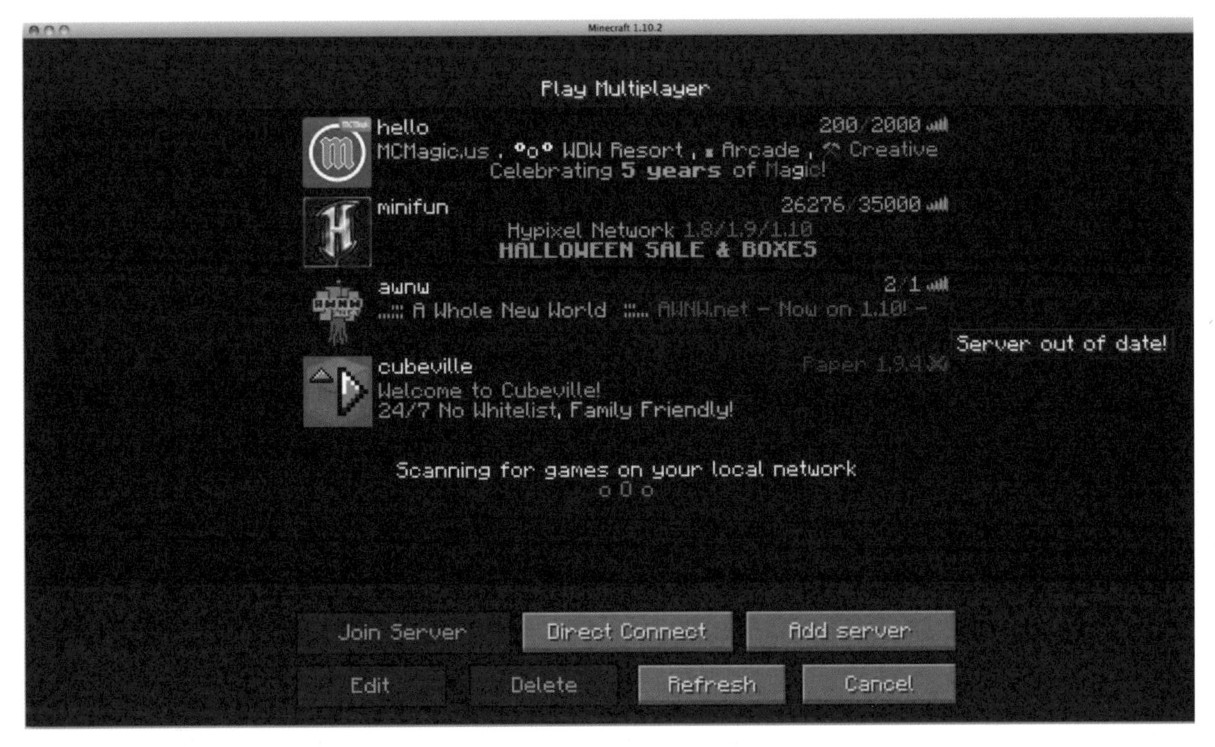

서버가 오래된 경우 이런 메시지가 표시되기도 합니다.

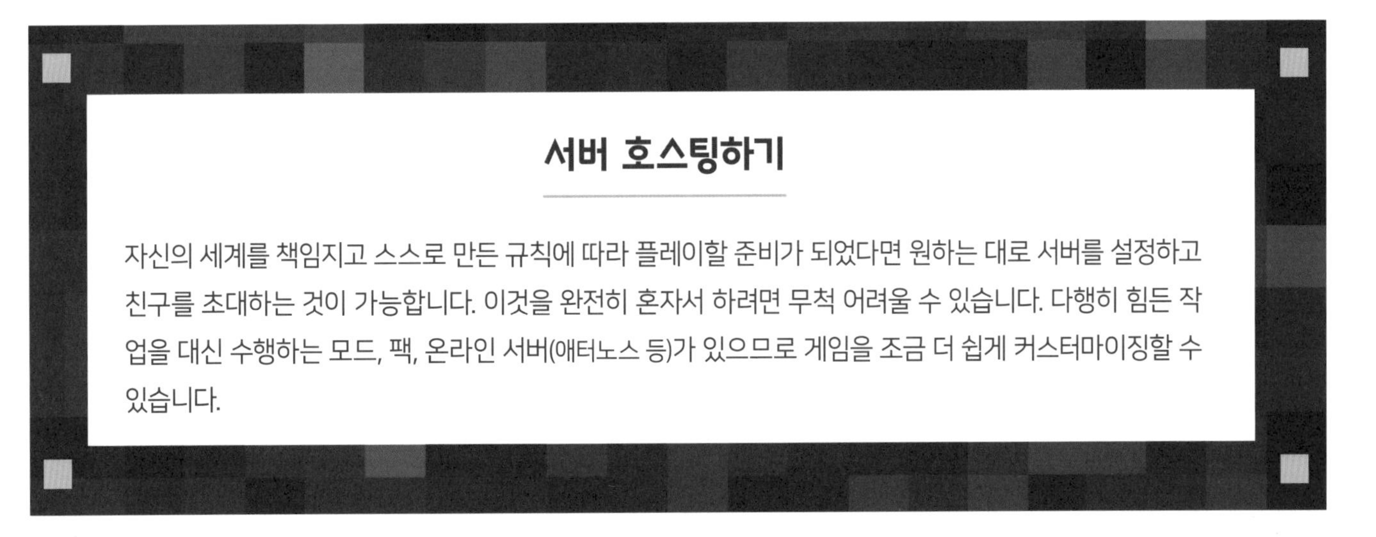

서버 호스팅하기

자신의 세계를 책임지고 스스로 만든 규칙에 따라 플레이할 준비가 되었다면 원하는 대로 서버를 설정하고 친구를 초대하는 것이 가능합니다. 이것을 완전히 혼자서 하려면 무척 어려울 수 있습니다. 다행히 힘든 작업을 대신 수행하는 모드, 팩, 온라인 서버(애터노스 등)가 있으므로 게임을 조금 더 쉽게 커스터마이징할 수 있습니다.

서버 목록

서버는 계속해서 생겼다 없어지고, 어떤 것은 수시로 온·오프라인으로 바뀝니다. 새로운 서버를 발견하는 가장 좋은 방법은 같이 게임할 수 있는 온라인 서버가 있는지 친구에게 물어보는 것이지만, 새로운 경험을 원한다면 마인크래프트 서버 목록(Mincraft Server List) 및 마인크래프트 포럼 Minecraft Forum 같은 서버 목록을 방문해 보세요(국내 서버 목록은 마인리스트 https://minelist.kr/나 SKH리스트 https://skhlist.com/에서 확인해 볼 수 있음.). 마음에 드는 서버를 찾았다면 서버에 투표하여 계속해서 서버가 유지될 수 있도록 해 보세요. 서버에 참여하는 플레이어가 많을수록 서버는 힘을 얻습니다.

파쿠르나 헝거 게임처럼 관심 있는 게임 유형이나 화이트리스트와 그레이리스트처럼 서버 유형별로 검색할 수 있습니다.

Addstar MC I Family Friendly —▯ Survival —▯ E...
mc.addstar.com.au
Version: 1.10.2 Players: 13/300
Online
Minecraft-mp.com

가장 최근까지 온라인 상태인 서버를 배너에 표시합니다. 배너는 현재 플레이하고 있는 사람의 수를 알려 주기 때문에 로그인하기 전에 어디로 갈지 결정할 수 있습니다. 그 숫자가 늘 정확하지는 않습니다.

서버 선택에 대한 팁

많은 플레이어가 서버 목록에서 참가할 서버를 결정합니다. 특히 신규 플레이어는 검색 엔진을 사용하여 첫 번째 서버를 찾는데, 서버 등급이 높을수록 상단에 표시될 가능성이 높습니다.

서버 목록은 다음을 포함한 서버에 대한 정보를 제공합니다.

- 서버 가동 시간 및 서버 개설일
- 서버 유형 및 제공 기능
- 서버 순위와 서비스 목록
- 버전이나 기타 정보 같은 서버 설명

서버 순위는 서버가 얻은 투표수를 바탕으로 계산되며, 여기에 여러분의 힘이 작용합니다. 수많은 서버 목록 가운데에 좋아하는 서버에 투표하면 서버 홍보, 순위, 플레이 관련성이 높아지므로 여러분이 투표한 서버에 더 많은 사람이 참여하게 됩니다.
투표를 하면 좋아하는 서버를 도울 수 있을 뿐만 아니라 게임 속 아이템, 상, XP를 얻을 수도 있습니다. 좋아하는 서버의 웹사이트를 방문해서, 서버에 투표하면 무엇을 얻을 수 있는지 알아보세요. 투표는 날마다 할 수 있습니다.

- 지미 태신(Jimmy Tassin), 옴니크래프트 창립자

스킨 Skins

스킨은 게임 캐릭터를 창의적으로 바꿀 수 있는 기능을 말합니다. 멀티플레이에서 다른 플레이어들 눈에 띄고 싶다면 캐릭터를 자신의 취향에 맞게 커스터마이징해 보세요. 캐릭터의 기본값에서 벗어나 새로운 모습을 얻고 싶다면 Minecraftskins.net, PlanetMinecraft.com 또는 무료 스킨 다운로드가 있는 사이트에 방문하세요. 여러분이 좋아하는 텔레비전 및 영화 캐릭터를 포함해 수백 가지 옵션을 선택할 수 있습니다. 미니마우스나 앵그리버드로 분장한 적들과 싸우는 모습이 얼마나 재밌을지 상상해 보세요. 미술에 관심이 많은 게이머라면 자신만의 스킨을 디자인할 수 있는 프로그램을 쓰는 것도 좋습니다.

스카이블록 Skyblock

스카이블록은 하늘에 떠 있는 블록 섬에 플레이어를 생성해 PvE 경험을 할 수 있게 한 게임입니다. 플레이어는 주어진 자원만으로 게임에서 생존해야 하고, 도전 과제를 완료한 뒤 보상을 받아 블록 섬을 발전시켜야 합니다.

스카이블록은 섬들이 떠 있는 곳에서 펼쳐지는 게임입니다.

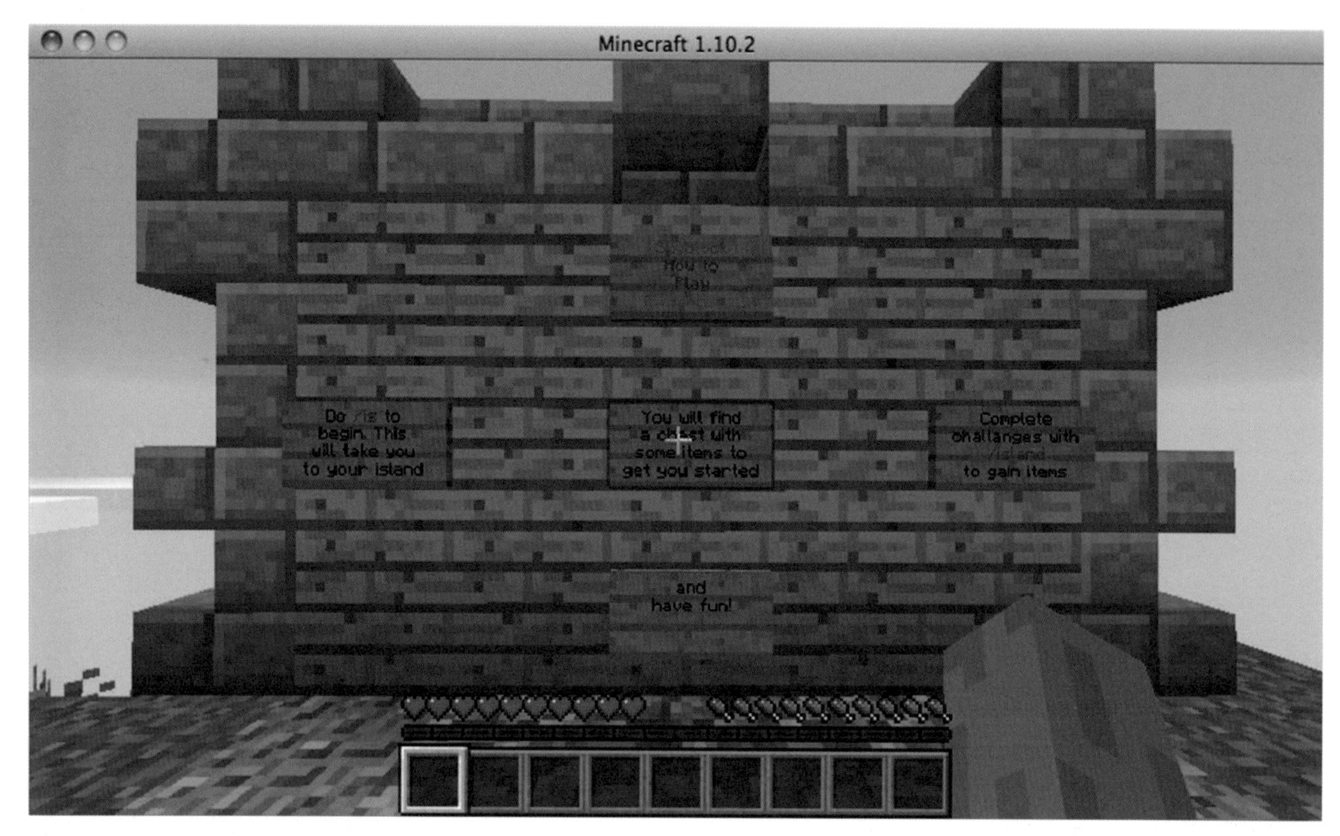

어떤 서버는 표지판에 게임 설명이 되어 있습니다. 플레이하기 전 반드시 표지판을 읽어 보세요.

S모더레이터 SMods

S(슈퍼)모더레이터는 서버에서 큰 책임을 맡은 모더레이터입니다. S모더레이터는 플레이어를 차단하고 /god 명령어를 사용해 플레이어를 지원해 줄 수 있는 능력이 있습니다.

소셜 게이밍 Social gaming

소셜 게이밍은 게임을 하면서 얻은 경험을 다른 사람들과 함께하는 것을 말합니다. 멀티플레이를 하는 것 자체가 게임 경험을 직접 공유하는 것입니다. 최신 게임 모험을 업데이트하거나, 동영상, 화면 캡처, 스트림 등 게임과 관련된 것을 친구와 나누는 것도 소셜 게이밍 활동 중 하나입니다. **이볼브HQ**는 대표적인 소셜 게이밍 플랫폼 중 하나입니다.

소셜 게이밍은 같은 관심사를 공유하는 사람을 만날 수 있어서 무척 재미있습니다. 그러나 다른 형태의 소셜 미디어와 마찬가지로, 항상 다른 사람을 존중해야 합니다. 그리고 언제나 안전이 가장 먼저입니다.

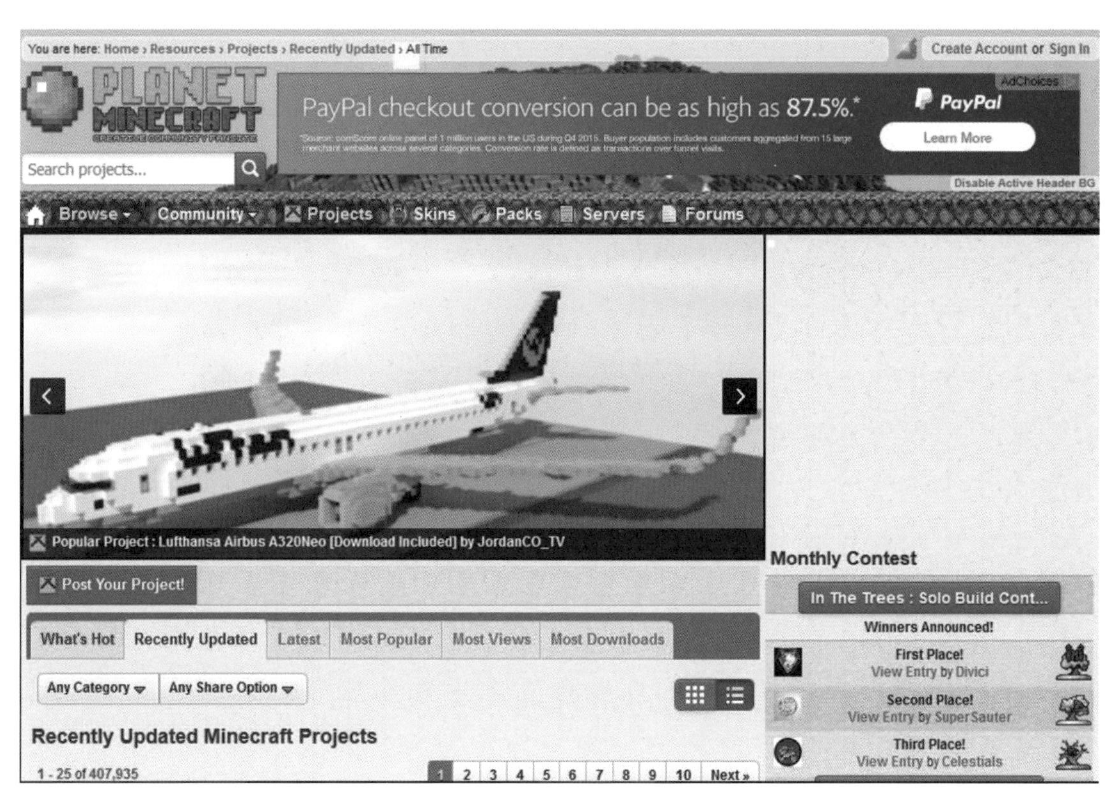

행성마인크래프트는 자신이 만든 것을 공유하고 다른 사람들에게 영감을 줄 수 있는 곳입니다.

여러분이 가장 잘 만든 작품을 행성마인크래프트에 제출해 보세요.

스폰 Spawn

여러분이 세계에 들어갈 때는 세계가 정해 놓은 위치에서 스폰(시작 됨.)됩니다. 이 스폰 지점은 게임에서 죽었을 때 다시 시작하는 지점이 되기도 합니다. 여러분은 스폰 지점 주변에 있는 어떤 것도 변경할 수 없습니다(여러분이 서버 운영자가 아닐 경우). 스폰된 곳으로 돌아가야 한다면 명령어 /spawn을 입력하세요.

스피곳 Spigot

처음에 스피곳은 마인크래프트 서버 성능을 향상시키기 위해 만든 버킷 모드였습니다. 2014년 버킷 프로젝트가 끝나면서 스피곳은 버킷이 개발한 것을 그대로 인수했습니다. 오늘날 스피곳은 플러그인과 함께 가장 일반적으로 사용되고 있는 소프트웨어입니다.

흙찡구놀이 Spleef

흙찡구놀이는 영어로 스플리프 Spleef라고 하는데, 그리프 grief라는 용어에서 유래한 것이며, 경기 규칙도 비슷합니다. 삽으로 다른 플레이어 발아래 있는 블록을 파괴해 플레이어가 구덩이로 떨어지게 하는 놀이입니다. 필드는 눈, 나뭇잎, 흙 블록처럼 매우 쉽게 부서지는 블록으로 만들어집니다. 게임플레이 방법은 매우 고전적인 보드게임인 '얼음을 깨지 마세요(망치로 얼음 블록을 깨뜨려 얼음 위에 있는 펭귄이나 북극곰이 떨어지면 지는 보드게임)'와 비슷합니다.

흙찡구놀이 게임의 겉모습은 서버마다 다를 수 있지만, 플레이 방법은 비슷합니다. 마음에 드는 서버를 찾아 보세요.

하이브에서는 흙찡구놀이를 '스플레그' 라고 합니다.

서바이벌 서버 Survival server

서바이벌 멀티플레이 서버 'Survival Multiplayer Server', 또는 SMP라고도 합니다. 즉 **PvP**(플레이어 대 플레이어)를 허용하는 서바이벌 모드 서버를 뜻합니다. 좋은 화이트리스트 서버는 모든 그리핑을 못마땅해 하지만, 서바이벌 서버에서는 해킹(다른 플레이어에게 속임수 쓰기, 함정 설치, 과하지 않은 장난이나 말장난)이 허용됩니다. 모든 서버에는 그곳만의 규칙이 있으며 플레이하기 전에 규칙을 읽고 이해해야 합니다. SMP 서버는 플레이어가 서로 도와 마을과 도시를 건설하고, 커뮤니티와 농장을 만들며 몹과 싸우기도 합니다. 심지어 경제 활동을 할 수 있는 곳도 있습니다.

생존 게임 Survival games

멀티플레이 미니 게임 중 생존 게임은 책과 영화로 만들어진 <헝거 게임> 시리즈를 본떠 만든 것입니다. 플레이어는 큰 경기장 한가운데에 있는 동그란 원 안에서 텅 빈 보관함을 가지고 시작합니다. 경기장은 작은 마을, 어두운 숲, 그 밖에 어떤 마인크래프트 맵이든 될 수 있습니다. 무기, 갑옷, 음식과 같은 전리품으로 가득 찬 상자가 맵 곳곳에 널려 있으며, 특히 가운데에 많습니다. 플레이어들은 상자에서 전리품을 챙긴 뒤 생존에 신경 쓰며, 다른 플레이어를 죽이려 합니다. 죽음은 게임에서 '아웃'입니다. 생존 게임은 마지막까지 서 있는 사람이 승리하는 게임입니다.

헝거 게임은 인기 있는 생존 게임 중 하나입니다.

이런 생존 섬에 스폰되면 밤에 살아남을 수 있을까요?

새로운 땅에 도착하면 표지판을 읽고 다음 도전 과제를 발견한 뒤 생존 법칙을 배우세요.

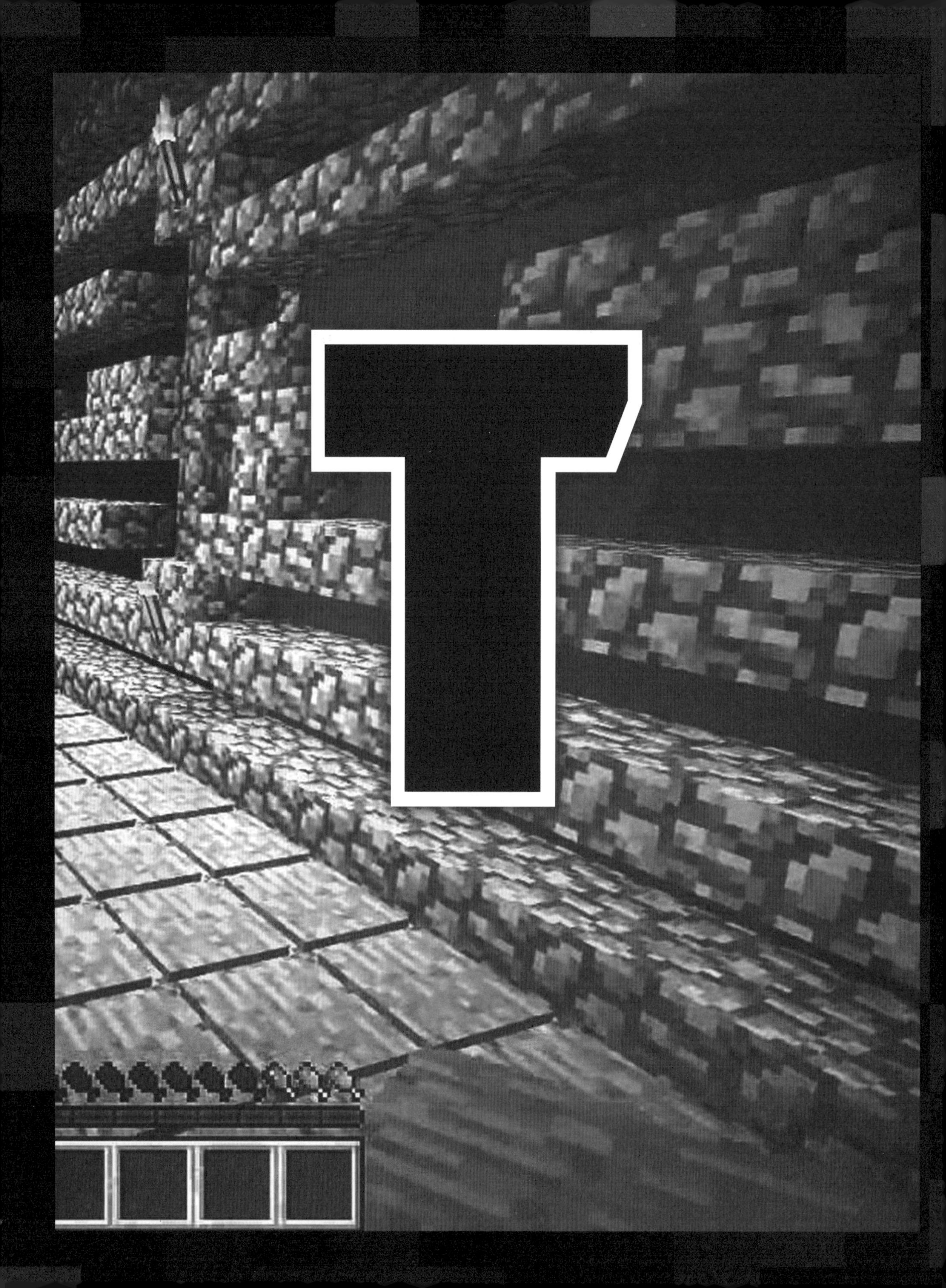
T

팀스피크 TeamSpeak

팀스피크는 플레이어가 마이크와 문자 채팅으로 대화하는 데 사용하는 소프트웨어 애플리케이션입니다. 가운데땅처럼 협업 서버에 들어가려면 팀스피크를 다운로드해 설치해야 합니다. 팀스피크를 다운로드하려면 이 앱을 사용하는 사이트에 방문해서 로그인할 때 나오는 지침을 따르세요.

마인플렉스 역시 팀스피크를 사용합니다. 게임플레이를 하면서 음성 채팅을 하거나 노래방 파티와 같은 이벤트에 참여함으로써 온라인 게임을 더욱 재미있게 즐길 수 있습니다.

문자 채팅 Text chat

마인크래프트 멀티플레이어는 기본적으로 문자 채팅(T 키 사용)을 사용할 수 있습니다. 문자 채팅은 다른 플레이어와 소통할 수 있는 기본 수단입니다. 채팅은 공개할 수도, 공개하지 않을 수도 있습니다. 대부분 서버에는 문자 채팅에서 욕설을 쓸 수 없도록 자동 필터 기능이 있지만, 많은 사람들이 부적절한 언어를 사용하기 위해 띄어쓰기를 하거나, 구두점을 쓰는 등 일부러 맞춤법을 틀리게 쓰기도 합니다. 어떤 서버는 완전히 채팅을 끄고 **관리자** 및 **모더레이터**하고만 대화할 수 있거나, 신뢰할 수 있는 친구 목록에 있는 사람들끼리만 채팅하도록 제한하고 있습니다.
꼭 기억하세요! 채팅할 때는 절대 개인 정보를 알려주면 안 됩니다.

TNT달리기 TNTrun

TNT달리기는 멀티플레이 서버에서 쉽게 찾을 수 있는 미니 게임 맵입니다. 플레이어는 모래층에서 시작합니다. 밟을 때마다 모래가 부서지기 때문에, 여러분이 밟는 모든 블록은 바로 사라집니다. 구멍에 떨어지면 게임에서 아웃됩니다. 마지막으로 남은 플레이어가 승리합니다.

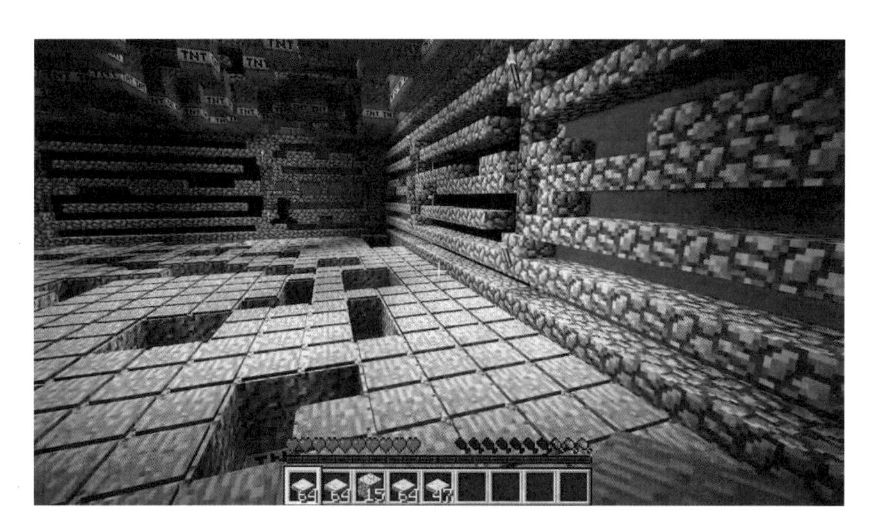

경기장은 TNT와 밟으면 떨어지는 자갈 블록으로 가득 차 있습니다. 가능한 오랫동안 달려서 살아남아 보세요!

이중 점프를 획득해 땅이 무너지기 전에 한걸음 앞서 나가세요!

타운크래프트 Towncraft

타운크래프트는 화이트리스트 서버가 아니기 때문에 누구나 참여할 수 있습니다. 마인크래프트 클라이언트에 play.towncraft.us를 입력하면 됩니다. 음성 채팅을 위한 팀스피크 서버도 있으며, 타운크래프트 웹사이트에서 IP 주소를 찾을 수 있습니다. 음성 채팅 기능이 있고 화이트리스트가 없는 서버는 걱정스러운 부분이 많이 있습니다. 하지만 타운크래프트는 많이 복잡하지 않으며, 부모들도 아이들과 함께 게임을 하는 곳입니다. 대부분의 사람들이 친절하며 잘 도와줍니다. 타운크래프트는 그리핑 방지 플러그인을 사용하므로 다른 플레이어가 여러분의 집과 콘텐츠를 그리핑하지 못하게 보호할 수 있습니다.

타운크래프트는 탐험하고 건축하는 표준 세계가 아니라 약간의 이야기가 있어서 더욱 멋집니다. 운석이 세상을 모조리 없애 버렸다는 설정을 가지고 있으며, 서버에 있는 여러분과 친구들이 세상을 다시 만들어야 합니다. 게임을 시작할 때 사냥꾼, 농부, 대장장이, 상인 같은 직업을 선택하고 직업에 따른 기술을 향상시킬 수 있습니다.

이 서버는 좀비 아포칼립스 Zombie Apocalypse 플러그인을 사용합니다. 이 플러그인은 밤이 되면 랜덤으로 좀비 무리를 나타나게 합니다. 플레이어는 주변에 있는 좀비를 물리쳐서 보상을 얻을 수 있습니다. 나이가 어린 플레이어라면 약간 겁이 나기도 하겠지만, 고학년 어린이에게는 흥미로울 것입니다.

팁

사이트 관리자가 초보자를 위해 마련한 가이드를 꼭 읽어 보세요.

타운크래프트 방문자 대부분은 서바이벌 모드로 플레이합니다.

타우니 Towny

타우니는 마인크래프트에서 마을을 만들 수 있는 멀티플레이 서버 플러그인입니다. 읍장(행정 구역인 읍의 우두머리), 은행, 주민, 그리고 그 주민들이 지불하는 주간 세금까지 갖추어져 있습니다. 플레이어에게는 마을을 만들기 위한 마을 블록이 정해진 수만큼 허용되며, 각 마을은 크기에 따라 플레이어 수가 정해져 있습니다. 마을은 기본 21×21 마을 블록으로 구성됩니다. 마을에 플레이어가 함께하면 함께할수록 블록이 많이 제공되어 확장할 수 있습니다. 플레이어는 함께 일하면서 마을을 건설하고 키워야 합니다.
마을은 그리퍼와 적대적인 몹으로부터 보호 받습니다. 플레이어는 한 번에 한 마을에만 소속될 수 있습니다. 명령어 /towny price를 사용하여 마을 생성 가격을 확인해 보세요. /town add <playername> 명령어를 사용하면 특정 플레이어를 마을에 포함시킬 수 있습니다. 마을이 함께 뭉치면 국가가 만들어지는데, 그러면 더 많은 땅을 가질 수 있고 다른 국가와의 전쟁에 참여할 수 있습니다.

트롤링 Trolling

트롤링은 일부러 화를 돋울 의도로 그리핑하는 것입니다. 그리핑 중에서도 가장 수준 낮은 행동이며, 괴롭힘에 해당하는 행동을 콕 집어 말하는 것입니다. 몇 가지를 예를 들면 다른 플레이어 죽이기, 상대방의 물건을 보는 앞에서 파괴하기, 물건을 주기로 약속하고 건네주지 않기, 물건을 주고 나서 죽인 다음에 도로 가져가기 등입니다.

모더레이터라고 해도 플레이어가 트롤링하는 것 자체를 막을 수는 없지만, 좋은 모더레이터는 트롤링을 보고 받으면 트롤러를 경고하거나 차단할 것입니다. 트롤링, 그리핑 또는 괴롭힘을 완전히 피하려면 폐쇄된 서버, 땅 보호가 있는 서버, 또는 LAN에서 친구와 함께 플레이해 보세요. 어떤 행동이 트롤링인지 또는 단순한 장난인지 잘 모르겠다면, 다른 모든 사람도 재미있게 여기는지 살펴보세요. 모두들 재미있다고 생각한다면 그것은 장난입니다. 하지만 피해를 입거나 불편을 겪어 조금이라도 화가 나고 짜증이 난다면 그것은 트롤링입니다. 트롤링으로 차단당하는 것을 피하고 싶다면, 한 가지 규칙을 잘 따르면 됩니다. 매너 있게 플레이하세요.

문제 해결 Troubleshooting

서버에 가입할 수 없다면 주로 두 가지 이유 때문입니다.

첫째, 비공개 또는 화이트리스트가 있는 서버인 경우 서버 관리자의 허가를 받아야 로그인할 수 있습니다.

둘째, 접속 권한이 주워졌는데도 여전히 플레이할 수 없다면, 서버와 게임 버전이 같은지 확인해 보세요. LAN을 통한 게임이든 외부 서버에서 호스팅되는 것이든 마찬가지입니다. 서버에 있는 질문과 답변 게시판에서 실행되고 있는 마인크래프트 버전을 확인하세요. 일치하지 않아도 당황할 필요 없습니다. 여러분의 버전을 플레이 중인 서버와 일치하도록 롤백하면 됩니다.

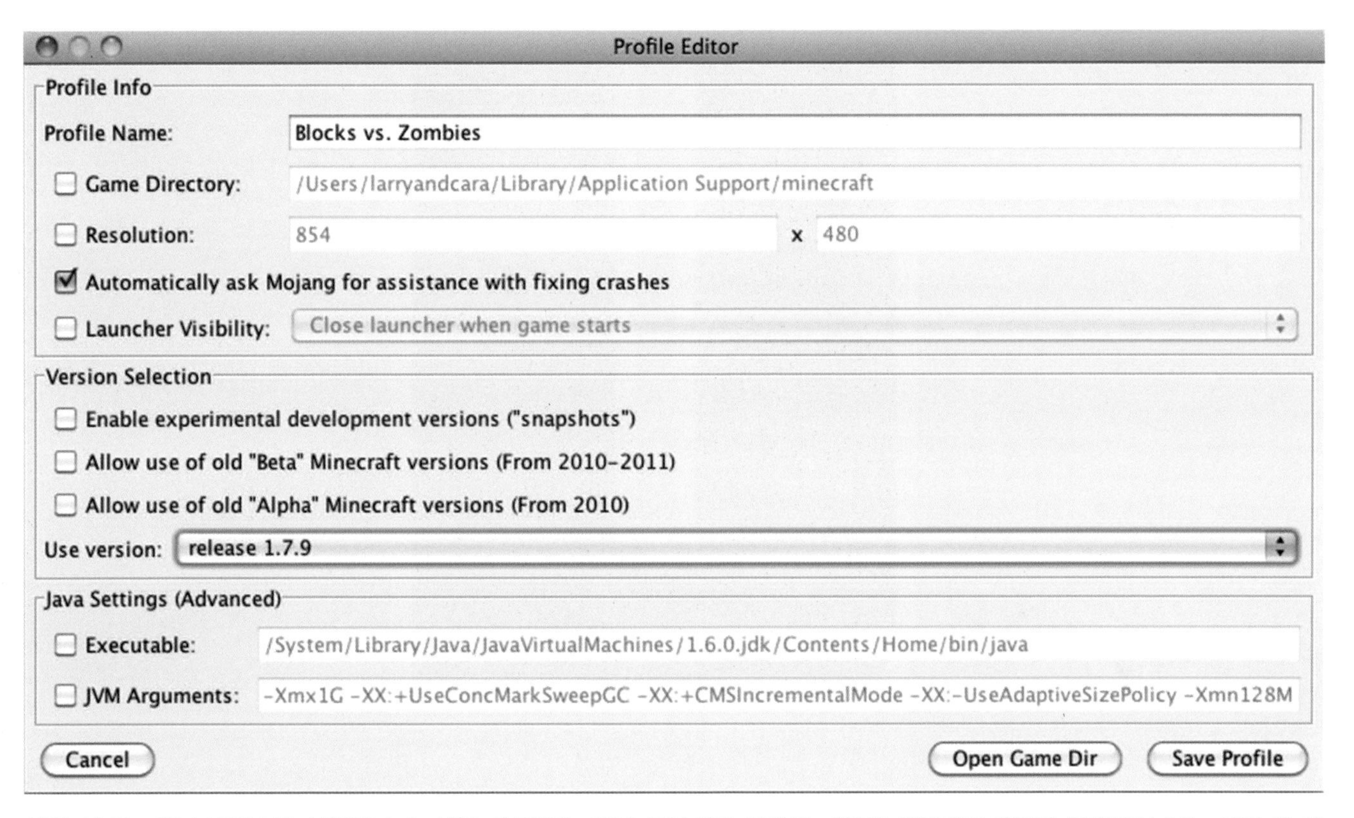

어떤 서버는 옛날 버전으로 실행됩니다. 식물 대 좀비는 옛날 명령어를 사용해 게임을 실행하기 때문에 롤백해야 하는 서버 중 하나입니다.

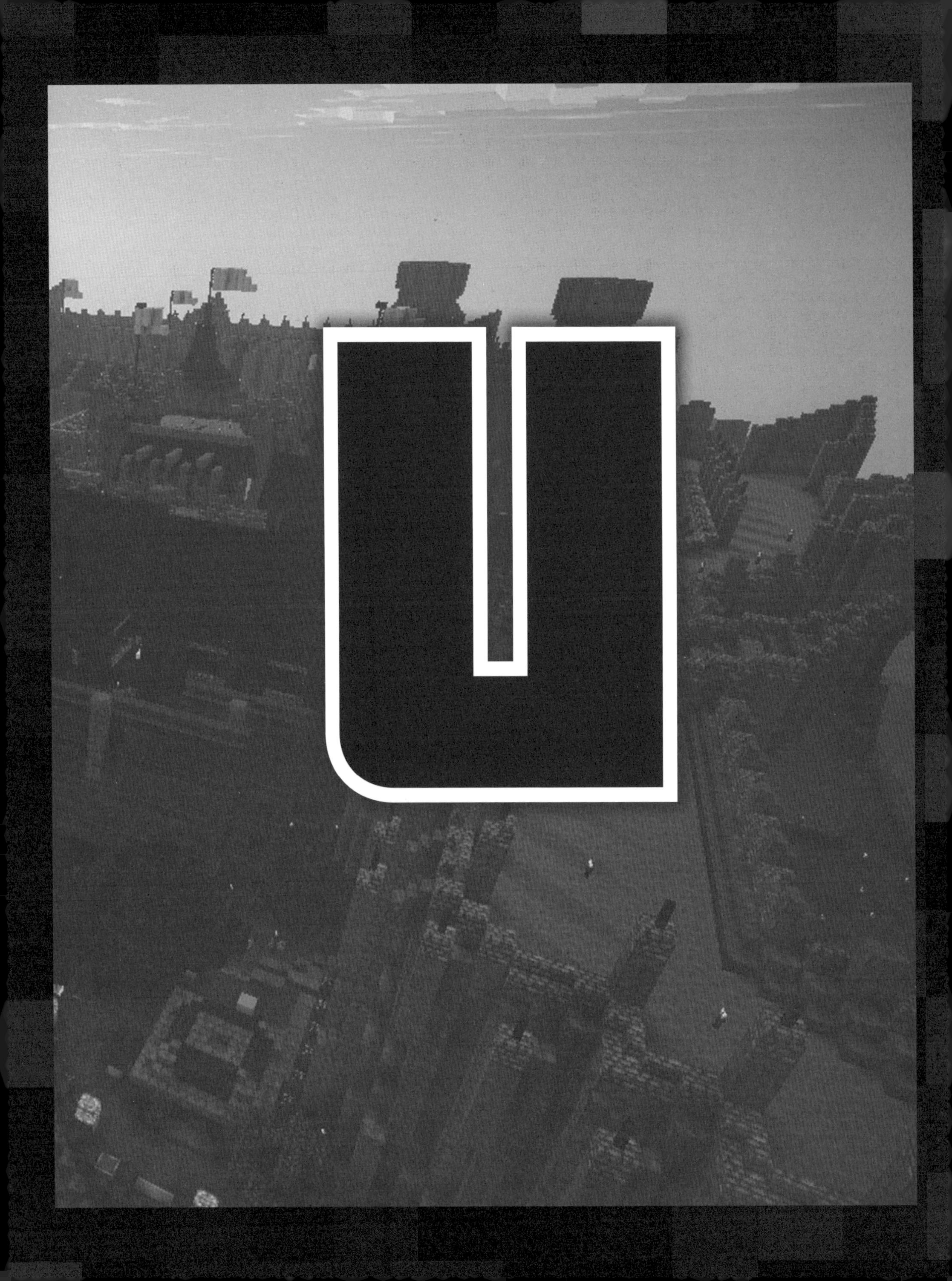
U

언커버리 Uncovery

언커버리는 숙련된 플레이어를 위해 만들어진 서바이벌 서버입니다. 2010년부터 운영된 언커버리 마인크래프트는 바닐라 서바이벌 마인크래프트와 멀티플레이어 모드를 더해 만들었습니다. 이 사이트는 경제 활동이 이루어지지만, 그럼에도 싱글플레이에서 제공하는 규칙과 메커니즘을 지키고 있습니다.

언커버리 마인크래프트는 친절하고 도움을 주는 플레이어들이 많이 모여 있으며 안전하고 안정적인 환경으로 유명해서 많은 어린이와 부모들이 찾아옵니다. 이 사이트는 기부금으로 운영되며 플레이하거나 업그레이드하는 데 요금을 부과하지 않습니다.

헤븐즈 리치 Heavens' Reach는 가운데 요새가 있는 언커버리 중세 도시입니다.

언커버리에 만들어진 완벽한 로마 도시.

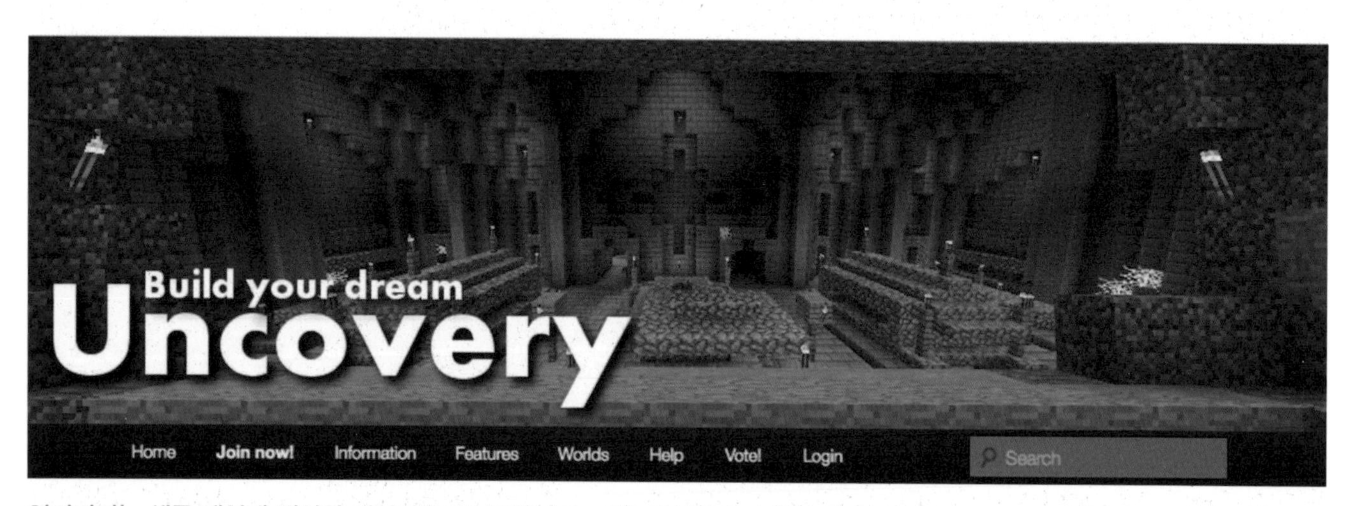

언커버리는 생존 게임에 진심인 게이머를 끌어모읍니다. 또한 인상적이고 창의적인 건축물이 모여 있는 전시장이기도 합니다.

가동 시간 Uptime

멀티플레이 게임 서버는 때때로 멈추기도 합니다. 이러한 문제를 미리 줄이고 싶다면 서버 목록에서 게임 가동 시간 통계를 찾아보세요. 어떤 서버를 얼마나 신뢰할 수 있는지 미리 알 수 있습니다. 가동 시간이 95% 이상이면 게임 진행이 원활한 서버이며, 98% 이상이면 끊김 없이 잘 되는 최고의 서버입니다.

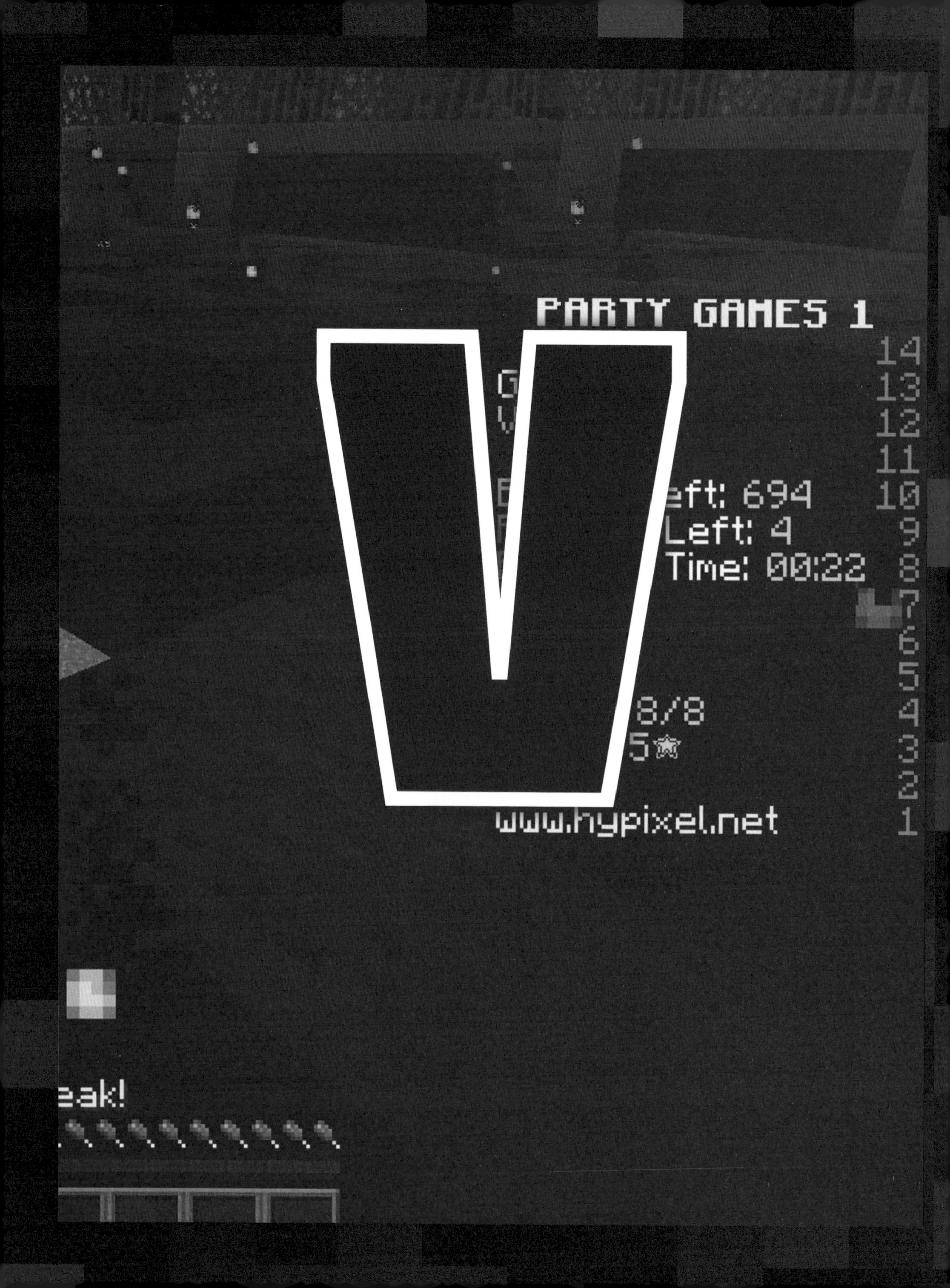

V

PARTY GAMES 1

eft: 694

Left: 4

Time: 00:22

8/8

5

www.hypixel.net

eak!

뱀파이어 게임 Vampire games

멀티플레이 게임에는 모두가 무서워하는 뱀파이어처럼 악당도 나옵니다. 뱀파이어 미니 게임은 매우 다양한데, 뱀파이어즈는 인간이 뱀파이어를 피해 숨어야 하는 무서운 숨바꼭질 게임입니다. 여기서 뱀파이어가 된 플레이어는 적에게 날카로운 송곳니를 꽂아 뱀파이어로 바꿉니다. 만약 비위가 약하다면 이 게임 이미지가 마음에 들지 않을 수도 있습니다. 잘린 머리나 피 웅덩이가 곳곳에 나오니 주의하세요.

뱀파이어즈 플레이어가 죽임을 당하자 바로 좀비로 변합니다.

뱀파이어즈를 플레이할 때는 잘린 머리와 피 웅덩이를 보게 될 수도 있으니 각오하는 게 좋습니다.

바닐라 Vanilla

모장에서 출시한 공식 서버 소프트웨어를 '바닐라'라고 합니다. 바닐라는 마인크래프트에 업데이트되는 동시에 배포되기 때문에 항상 최신 버전입니다. 심지어 바닐라의 스냅샷(개발이 덜 끝난 테스트 버전) 버전도 있습니다. 바닐라 멀티플레이 서버는 **플러그인**이나 **모드**를 사용하지 않는 싱글플레이 서바이벌 게임과 똑같은 경험을 제공하지만 멀티플레이용 혜택이 추가되어 있습니다.

버전 Versions

마인크래프트는 초기 형태(2011년의 1.0) 이후 계속해서 발전해 왔으며, 이미 수많은 형태로 업데이트 및 출시되었습니다. 서버에 참여하기 전 해당 서버가 여러분의 마인크래프트 버전을 지원할 수 있는지 확인해 보세요. 서버가 이전 버전으로 실행되고 있다면, 마인크래프트를 열고 프로필 편집(Edit Profile)을 클릭해 알맞은 버전을 선택합니다.

화산 Volcano

게임할 시간이 얼마 없는 플레이어를 위한 빠르고 쉬운 파티 게임이 많습니다. 화산도 마찬가지입니다. 용암에 빠지지 않도록 블록에서 블록으로 뛰다 보면 이 액션으로 가득 찬 멀티플레이 파티 게임의 승자가 될 수 있습니다.

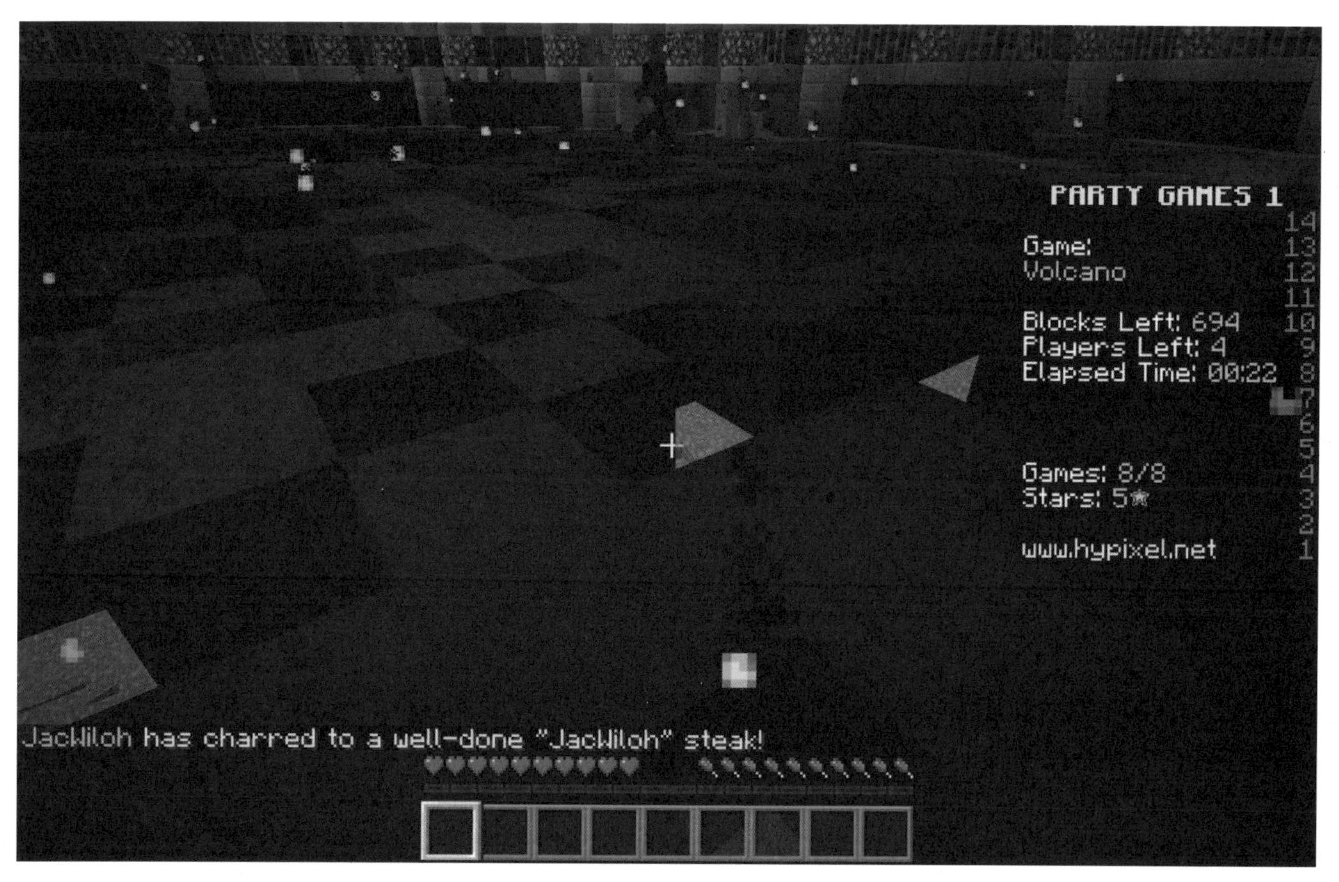

길고 복잡한 도전 과제를 해내기 힘든 사람은 멀티플레이 파티 게임을 해 보세요. 화산은 금방 배울 수 있는 빠르고 쉬운 게임 중 하나입니다. 한 번만 잘못 움직여도 용암에서 수영하게 됩니다.

10.2

W

n Lost

hite-listed ye -list @
N.net !

rver list

화이트리스트 Whitelist

화이트리스트는 특정 서버에 접속할 수 있는 플레이어들의 목록입니다. 서버는 화이트리스트를 사용해 보다 나은 플레이어를 확보하고 사전에 **그리퍼**를 차단합니다. 화이트리스트가 없는 서버는 많은 그리핑을 자주 겪게 될 것입니다. 화이트리스트에 가입하려면 먼저 승인을 받아야 합니다. 보통은 서버의 웹사이트에 가서 신청서를 작성하고 몇 시간 또는 며칠을 기다리면 됩니다. 화이트리스트 서버에 가입 신청하는 것은 다소 번거로울 수 있지만, 서버 관리자가 모든 플레이어를 알고 있다는 점에서 믿음이 생깁니다. 여러분이 직접 화이트리스트 서버를 만들어서 친구만 참여할 수 있게 할 수 있습니다. 회원으로 등록되지 않은 화이트리스트 서버에 접속하려고 연결을 시도하면 오류 메시지가 표시됩니다.

체리 바닐라 서버(플레이어에게는 바닐라 경험을 제공하지만, 관리를 위해 서버용 플러그인이 설치된 서버)용 화이트리스트 애플리케이션입니다. 승인되면 로그인하여 플레이할 수 있습니다.

화이트리스트에 등록되지 않으면 화이트리스트 서버에 접속할 수 없습니다.

나무 Wood

나무는 건축에 꼭 필요한 훌륭한 재료지만, 멀티플레이어 모드에서 집을 지을 때는 되도록 피해야 합니다. 멀티플레이어 모드에서는 그리퍼들이 나무 건물을 쉽게 불태우고 안에 있는 것들을 훔치기 때문입니다.

월드가드 WorldGuard

큐브빌 같은 일부 서버는 월드가드 플러그인을 제공해 여러분이 땅의 소유권을 갖게 해 줍니다. 방금 멋진 집을 지었거나, 전리품을 보관할 장소를 찾았거나, 멋진 화원을 지었다고 하더라도 여러분이 온종일 쉬지 않고 지킬 수는 없습니다. 하지만 월드가드를 사용하면 다음과 같은 명령어로 여러분의 영역을 보호할 수 있습니다.

//wand 명령어를 입력한 후 공간의 양쪽 끝 모서리 두 개를 클릭하면, 월드가드가 지정된 영역을 보호해 줍니다.

//expand 5 u 정의된 영역의 지면에서 다섯 블록 위에 있는 영역까지 보호합니다.

/region claim region claim 다음에 지역 이름과 사용자 이름을 입력하고 엔터 키를 누릅니다. 이렇게 해서 여러분의 영역을 만듭니다.

/region select region select 다음에 지역 이름을 입력하고 엔터를 치면 보호 중인 지역을 변경할 수 있습니다.

//expand 5 d 이것은 여러분이 소유한 지면 아래 다섯 블록까지의 영역을 보호해 주기 때문에 몹, 그리퍼 또는 땅파기를 좋아하는 사람이 밑에서부터 여러분의 공간으로 침입할 수 없도록 합니다.

/region redefine region redefine을 입력한 다음 엔터를 치면 여러분이 변경한 내용을 저장하고 땅을 보호합니다.

래퍼 Wrapper

멀티플레이 어드민 Multiplay Admin 같은 래퍼는 게임 플레이 방식은 바꾸지 않고, 운영자가 서버를 더 편리하게 관리해 줍니다. 어떤 래퍼는 가동 시간을 보장해 주거나 서버 소유자가 게임 경험을 최대한 부드럽고 즐겁게 만들 수 있도록 서버 통계를 제공합니다.

X

Y

Z

엑스레이 시야 X-ray vision

엑스레이 모드는 귀한 광물을 더 쉽게 감지할 수 있도록 도와줍니다. 이 모드를 사용하면 다이아몬드, 석탄, 철을 찾기가 훨씬 쉬워집니다. 그러나 대부분의 멀티플레이 서버에서는 이 도구를 사용하지 못하게 할 것입니다. 엑스레이는 관리자가 쉽게 발견할 수 있으며, 어떤 서버에서는 차단당할 수도 있으니 되도록 쓰지 않는 것이 좋습니다.

유튜브 브이로거 YouTube Vlogger

여러분은 이미 유튜브 동영상을 통해 MMO에 대해 배웠을 것입니다. 마인크래프트 유튜브 브이로거는 게임플레이를 녹화하거나 캡처합니다. 여러분은 유튜브 동영상에서 많은 것을 배울 수 있지만, 욕설이 잔뜩 나오는 동영상이 무척 많고, 어떤 것은 부적절한 내용을 포함할 수도 있으니 주의해야 합니다. 여러분이 잘 알고 있으며 신뢰할 만한 훌륭한 유튜브 브이로거 몇 명만 팔로우하는 것이 가장 좋습니다.

추천할 만한 채널로는 스탬피롱헤드 Stampylonghead나 스탬피롱노즈 Stampylongnose가 있습니다. 스탬피캣 Stampy Cat이라는 브이로거는 재미있고 친근한 동영상을 제작하며 도전 과제, 스토리라인, 정보를 포함하고 있어서 즐겁게 보는 동시에 플레이 방법도 배울 수 있습니다.

제로마이너 Zero.minr

무언가를 제작하거나, 살해당하거나, 방어해야 하는 걱정 없이 마음껏 뛰고, 기어오르고, 달려 보세요. 제로마이너는 많은 연습과 인내가 필요한 파쿠르 맵입니다. 이 렐름에 들어가면 자신이 떨어져 죽는 모습을

멋진 파쿠르 동작을 할 수 있도록 마인크래프트 아바타를 연습시켜 보세요.

제로마이너는 점프하며 돌아다닐 수 있는 새로운 장소를 제공합니다.

보게 될 수도 있습니다. 꽤 많이 보게 될 것입니다. 처음에는 답답하겠지만, 참고 견뎌 보세요.

좀비 아포칼립스 Zombie Apocalypse

좀비 아포칼립스는 멀티플레이 서버에서 플레이할 때 사용할 수 있는 많은 플러그인 가운데 하나입니다. 타운크래프트 같은 서버는 이 플러그인을 활성화하여 오후 9시에 좀비 떼가 나타나는 위협을 추가했습니다. 업적을 달성하려면 아침이 오기 전에 일정량의 좀비를 물리쳐야 합니다. 구체적인 숫자는 각 서버 관리자가 결정합니다. 좀비 아포칼립스는 더 많은 드롭을 제공하고 게임 속 업적을 달성할 수 있게 합니다. 여러분이 좀비 전투에 빠져 있다면 더욱 재미있게 만들어 줄 것입니다.

좀비 아포칼립스에서 살아남아 승리하세요!

좀비 떼가 오면 하던 일을 멈추어야 합니다.

어린이와 부모를 위한 추가 자료

www.howtogeek.com/school/htg-guide-to-minecraft/lesson15
Minecraft.gamepedia.com
commonsensemedia.org
www.planetminecraft.com

마인크래프터를 위한 특별 이벤트

퀴즈 맞히고, 문화상품권 받자!

<마인크래프트 최강 전략 백과 : 멀티플레이어 모드>
출간 기념 퀴즈 이벤트에 참여하시면 정답자 중 추첨을 통해
20분께 문화상품권(1만원 권)을 드립니다.

★ 참여 방법

❶ 오른쪽 QR 코드를 스마트폰의 QR 코드 리더기로 스캔하세요.
❷ QR 코드 스캔 후, 링크로 들어가 〈마인크래프트 최강 전략 백과: 멀티플레이어 모드〉 퀴즈 설문에 참여하세요.
❸ 이벤트 응모 정보를 꼼꼼하게 적어 제출하세요.

★ 이벤트 기간

2022년 4월 1일 ~ 2022년 4월 24일까지

★ 당첨자 발표

2022년 4월 29일 서울문화사 어린이책 카카오톡 채널 공지
(카카오톡 채널 검색에서 '서울문화사 어린이책'을 검색하세요.)

원작 **카라 J. 스티븐스** 번역 **강세중**

1판 1쇄 인쇄 | 2022년 3월 7일 **1판 1쇄 발행** | 2022년 3월 28일

발행인 | 조인원 **편집장** | 최영미 **편집자** | 김시연, 조문정
표지 및 본문 디자인 | 박수진 **출판 마케팅** | 홍성현, 경주현 **제작** | 이수행, 오길섭
발행처 | 서울문화사 **등록일** | 1988년 2월 16일 **등록번호** | 제2-484
주소 | 04376 서울특별시 용산구 새창로 221-19
전화 | 02)791-0754(구입) 02)799-9171(편집) **팩스** | 02)790-5922(구입)
출력 | 덕일인쇄사 **인쇄** | 에스엠그린

ISBN 979-11-6438-987-2 14690

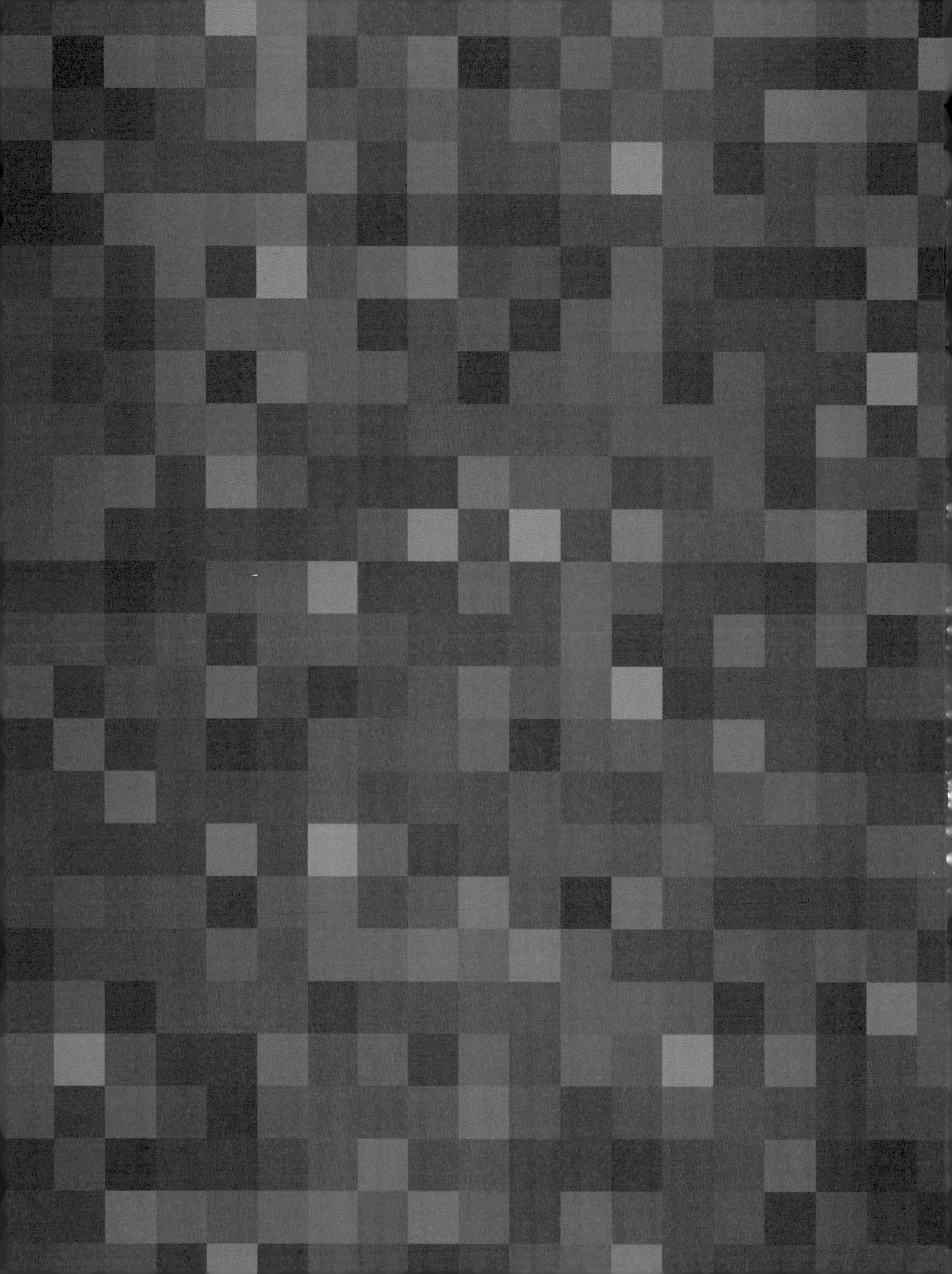